1551820019

UDC

中华人民共和国国家标准

P

GB 50426－2016

印染工厂设计规范

Code for design of dyeing and printing plant

2016－10－25 发布　　　　2017－07－01 实施

中华人民共和国住房和城乡建设部
中华人民共和国国家质量监督检验检疫总局　联合发布

中华人民共和国国家标准

印染工厂设计规范

Code for design of dyeing and printing plant

GB 50426-2016

主编部门：中 国 纺 织 工 业 联 合 会
批准部门：中华人民共和国住房和城乡建设部
施行日期：2 0 1 7 年 7 月 1 日

中国计划出版社

2016 北 京

中华人民共和国国家标准

印染工厂设计规范

GB 50426-2016

☆

中国计划出版社出版发行

网址：www.jhpress.com

地址：北京市西城区木樨地北里甲 11 号国宏大厦 C 座 3 层

邮政编码：100038　电话：（010）63906433（发行部）

北京市科星印刷有限责任公司印刷

850mm×1168mm　1/32　4.25 印张　103 千字

2017 年 3 月第 1 版　2017 年 3 月第 1 次印刷

☆

统一书号：155182 · 0019

定价：26.00 元

中华人民共和国住房和城乡建设部公告

第 1344 号

住房城乡建设部关于发布国家标准《印染工厂设计规范》的公告

现批准《印染工厂设计规范》为国家标准，编号为 GB 50426—2016，自 2017 年 7 月 1 日起实施。其中，第 5.3.2、5.4.5（1、2、3）、7.7.5、9.5.1、9.5.3 条（款）为强制性条文，必须严格执行。原《印染工厂设计规范》GB 50426—2007 同时废止。

本规范由我部标准定额研究所组织中国计划出版社出版发行。

中华人民共和国住房和城乡建设部
2016 年 10 月 25 日

前　言

本规范根据住房城乡建设部《关于印发〈2014 年工程项目建设标准制订、修订计划〉的通知》（建标〔2013〕169 号）的要求，由中国纺织工业联合会和浙江省省直建筑设计院会同有关单位对原国家标准《印染工厂设计规范》GB 50426—2007 的基础上修订而成。

本规范在修订过程中，规范编制组经广泛调查研究，认真总结实践经验及技术进步成果，根据我国现行的法规和制度，并在广泛征求意见的基础上，多次修改最后经审查定稿。

本规范共分 11 章和 6 个附录，主要内容包括总则、术语、工艺设计、总图运输、建筑、结构、给水排水、供暖通风与空调、电气、动力、仓储等。

本规范修订的主要技术内容是：

1. 增加了"采用酶处理、高效短流程前处理、冷轧堆前处理及染色、短流程湿蒸轧染、气流染色、小浴比染色、涂料印染、数码喷墨印花、泡沫整理等染整清洁生产技术"等节能减排工艺的内容；

2. 完善了建筑节能环保方面的有关条文；

3. 降低了单层带排气井的装配式门形架承重锯齿排架结构印染厂的适用抗震烈度；增加了适用于印花、整理、整装车间的结构形式；

4. 增加了节水设计及可再生能源利用的要求；完善了水的重复利用、废水回用和污水排放的内容；修改了部分给水及消防的内容；

5. 增加了车间内爆炸危险性场所电气设计要求；完善了接地型式和等电位联结的要求；增加了车间静电防护要求；增补了有毒气体探测系统设计要求；

6. 增加了通风和空调系统节能要求和卫生指标；

7. 增加了热力管道敷设要求和油热载体加热炉房设计烟气余热利用、印染废热水中热能回收等内容。

本规范中以黑体字标志的条文为强制性条文，必须严格执行。

本规范由住房城乡建设部负责管理和对强制性条文的解释，由中国纺织工业联合会负责日常管理，由浙江省省直建筑设计院负责具体技术内容的解释。本规范在执行过程中如有意见和建议，请寄送浙江省省直建筑设计院（地址：浙江省杭州市西湖区圣苑北街 66 号；邮政编码：310030)，以供今后修订时参考。

本规范主编单位、参编单位、主要起草人和主要审查人：

主 编 单 位：中国纺织工业联合会

浙江省省直建筑设计院

参 编 单 位：山东省纺织设计院

江苏省纺织工业设计研究院有限公司

安徽省纺织工业设计院

主要起草人：方　跃　冯建德　陈建波　高学忠　罗巨光

程加贝　蒋乃炯　邵文彬　陈　波　胡雨前

陈青佳　李国新　胡乃杰　邓　军　吴　兵

主要审查人：林光华　张世平　刘承彬　奚旦立　黄中权

马知方　朱俊伟　凌　容　顾　凯　丁贵智

谢建强　聂　扬　陈鸣峰

目　　次

Contents

1 总 则

1.0.1 为了统一印染工厂在工程建设领域的技术要求,推进工程设计工作的优化和规范化,达到技术先进、经济合理、安全适用的目的,制定本规范。

1.0.2 本规范适用于棉、化纤及混纺织物连续式和间歇式印染工厂生产设施、生产辅助设施的新建、改建和扩建工程设计。

1.0.3 印染工厂设计应遵守国家基本建设的方针和规定,应积极采取清洁生产工艺,节约用水,减少污水排放,并应最大限度地提高资源和能源利用率,严格控制单位产品的资源和能源的消耗,鼓励推进生产过程的综合平衡和综合利用。

1.0.4 印染工厂设计应结合远景目标统一规划,应功能分区明确,避免交叉污染。

1.0.5 印染工厂设计除应符合本规范外,尚应符合国家现行的有关标准的规定。

2 术 语

2.0.1 退浆 desizing

通过碱、酶或氧化剂将织物上的浆料去除的过程。

2.0.2 煮练 scouring

通过烧碱和其他助剂将织物退浆后残留的天然杂质去除的过程。

2.0.3 漂白 bleach

通过氧化剂将织物上带有的天然色素被氧化而破坏,使纤维呈白色,还可去除残留的蜡质、含氮物质。

2.0.4 丝光 mercerizing

通过在一定张力下,对织物经浓烧碱溶液处理的过程。

2.0.5 染色 dyeing

用染料或颜料使织物着色的一种方法。

2.0.6 印花 printing

用染料或颜料在织物上形成图案的工艺过程。

2.0.7 碱减量 alkali decrement

纺织处理中一个复杂的反应过程,主要发生在氢氧化钠和聚酯高分子物间的多相水解反应。

2.0.8 涂层 coating

一种经特殊工艺处理,使在面料表面形成一层均匀的覆盖胶料,从而达到防水、防风、透气等功能。

2.0.9 后整理 finished treatment

后整理是通过化学或物理的方法改善面料的外观和手感、增进服用性能或赋予特殊功能的工艺过程。

2.0.10 冷轧堆 cold-pad-batch process

织物在室温下浸轧工作液后即进行答卷、包覆，在防止水分蒸发的条件下低速回旋足够长时间，使反应在低温条件下充分进行，然后再进行水洗、烘干等后处理的工艺过程。

2.0.11 喷墨印花　ink-jet printing

电脑控制喷射布点在织物上直接形成花纹图案的无型版印花的工艺。

3 工 艺 设 计

3.1 一 般 规 定

3.1.1 工艺流程和主机设备的选择应根据生产规模、产品方案、质量标准、生产方法及原料、高温热源的种类和建厂条件等因素经技术经济比较后确定,并应满足环保要求。

3.1.2 车间的工艺布置应根据工艺流程和设备选型综合确定,应满足施工、安装、操作、维修、通行、消防、安全生产和技术改造的要求。

3.1.3 公用工程品质、容量及辅助设施应满足生产要求。

3.2 工 艺 流 程

3.2.1 印染工厂生产产品的工艺流程可按本规范附录 A 执行。

3.2.2 印染工厂应采用节水、节能、降耗、环保新工艺及新助剂,宜采用低温染色工艺及助剂、新型涂料等印染技术。

3.2.3 印染工厂煮练宜采用短流程煮练酶工艺,染色宜采用冷轧堆、小浴比染色工艺。

3.3 设 备 选 用

3.3.1 选用的设备应保证技术上的先进性和经济上的合理性,应安全可靠。

3.3.2 选用的设备生产上应具有适应性和灵活性,并应适应产品加工品种和批量的变化。

3.3.3 选用的设备应采用新一代高质高效织物前处理、低浴比溢流染色机、气流染色和数码喷墨印花等节水、节能、降耗设备。

3.3.4 选用的设备宜采用在线检测和自动调浆系统。

3.3.5 印染主机设备生产能力可按本规范附录 B 执行。

3.4 机 器 排 列

3.4.1 设备布置应根据工艺流程设计对工艺设备进行合理排列，并应确定全部工艺设备的具体位置。

3.4.2 设备布置应缩短半制品的运输距离，避免往返交叉运输，并宜兼顾其他品种的要求。

3.4.3 同类型设备或操作上有关的设备宜布置在一起，干、湿车间宜隔开，主要生产车间应划分清楚。

3.4.4 设备间距和运输通道应满足设备本身及附属装置的占地面积、生产操作、安装维修、布车运输、架空管线、地下沟道等方面的要求，设备与设备、设备与建筑物之间的安全距离应满足操作、检修要求。机器排列间距宜符合表 3.4.4 的规定。

表 3.4.4 机器排列间距(m)

项 目	距 离
在同一轴线前后排列两机台之间的间距(落布架到进布架)	6.0
设备的进布架(落布架)与墙之间的间距	6.0
设备最宽部位与墙之间的距离	≥0.8
设备与柱子之间的距离	≥0.6

3.4.5 生产辅助设施宜靠近使用机台。

3.4.6 设备的电源柜和控制箱的位置应靠近机台，对湿热车间宜在设备旁设置单独的小间放置电源柜和开关箱，并应采取防潮、防腐蚀和通风措施。

3.4.7 联合机应顺车间柱距方向排列，当楼层上布置设备时，不应跨越结构伸缩缝。

3.5 工 艺 管 道

3.5.1 印染工厂的工艺管道宜采用明敷，沿墙敷设的管道不应妨碍门窗的开启及采光。

3.5.2 当多根管道上下布置时,应符合热介质管道在冷介质管道之上,无腐蚀性介质管道在腐蚀性介质管道之上,气体管道在液体管道之上,金属管道在非金属管道之上,保温管道在不保温管道之上的原则。

3.5.3 当多根管道靠墙面水平布置时应将粗管道、常温管道、支管少的管道靠墙,较细管道、热管道及支管多的管道在外。

3.5.4 当管道横穿通道时,其净高度不应低于2.2m,热介质管道及腐蚀性介质管道不得在人行道上空设置法兰和阀门。立管上的阀件应距地面1.2m~1.5m,当需安装于2m以上操作频繁的阀件时,应设操作平台或用长柄、链条启闭阀门。

3.5.5 工艺管道应安装计量仪表。

3.6 工艺对公用工程的要求

3.6.1 工艺用水应符合下列规定:

1 给水进设备压力不宜低于0.2MPa,主要印染设备用水量可按本规范附录C执行;

2 工艺生产用水水质要求应符合表3.6.1的规定。

表3.6.1 工艺生产用水水质要求

水质项目	单位	指　　标
浊度	NTU	<3
色度	度	<15
pH	—	6.5~8.5
铁	mg/L	≤0.1
锰	mg/L	≤0.1
悬浮物	mg/L	<10
硬度 (以 $CaCO_3$ 计)	mg/L	(1)原水硬度小于150mg/L可全部用于生产; (2)原水硬度大于150mg/L,小于325mg/L,大部分可用于生产,但溶解染料应使用小于或等于17.5mg/L的软水,皂洗和碱液用水硬度最高为150mg/L

3.6.2 工艺用蒸汽应符合下列规定：

1 印染设备使用蒸汽压力应根据设备需用要求，范围在 0.2MPa～0.6MPa 之间；

2 主要印染设备用汽量可按本规范附录 D 执行。

3.6.3 工艺用高温热源应符合下列规定：

1 印染生产加工过程中烧毛、热定形、红外线预烘、热熔染色、焙烘、常压高温蒸化、树脂整理等工序均需高温热源，可根据建设地区可供热源进行选择；

2 印染设备需要高温热源值可按本规范附录 E 执行。

3.6.4 工艺用压缩空气应符合下列规定：

1 进机台压缩空气压力宜在 0.49MPa～0.588MPa 范围内；

2 印染设备各轧车压缩空气用量可按本规范附录 F 执行。

3.6.5 车间照明要求可按本规范第 9.3.6 条的规定执行。

3.7 生产辅助设施

3.7.1 碱回收站应符合下列规定：

1 丝光淡碱除供退浆、印花等工序利用外，其余应回收利用；当不具备外部协作条件时，应设碱回收站；

2 碱回收站应靠近主厂房内丝光机；

3 多效蒸发装置的碱回收站厂房结构应独立设置，扩容蒸发装置的碱回收站也可结合到主厂房内。

3.7.2 印花调浆间设计应符合下列规定：

1 印花调浆间应与印花车间隔离，应邻近主厂房内印花机；

2 印花调浆间内宜划分为原糊准备、浆料研磨、基本色贮存、色浆调制、染化料贮存、称料等几个区域；

3 印花调浆间内地沟应为带漏空盖板的明沟；

4 配有两台印花机以上企业宜配置自动调浆系统。

3.7.3 筛网制造间应靠近印花机台和网框仓库，修网处应有较好的通风设施。

3.7.4 当印染工厂采用碱减量工艺时,应设置碱减量废水预处理装置。

3.7.5 染化料调配间宜采用染化料自动调配系统。

3.7.6 松香回收间宜单独设置,并应采取防火措施。

3.8 车 间 运 输

3.8.1 原布间运输设备应采用油泵推布车或微型电瓶叉车,宜配置 2 辆~3 辆。

3.8.2 练漂、染色、印花、整装车间运输设备应采用堆布车或卷布车,数量定额可按年产每 1000 万 m 印染布配置 70 辆~80 辆计算。年产量小于 3000 万 m 的工厂按定额计算后可适当多配。卷染机可采用吊轨配 0.5t 电动葫芦或布卷车运送布卷。车间内染化料等运输,可根据不同规模配置 4 辆~8 辆平板车,也可采用电瓶车运输。

3.8.3 整装间运输宜采用堆布车和油泵推布车或微型电瓶叉车,油泵推布车或微型电瓶叉车可配置 2 辆~4 辆。布包的运送按不同规模配置 4 辆~6 辆老虎车,也可配置电瓶车。

3.8.4 多层厂房内应设置载重大于 2t 的大轿厢电梯,数量不宜少于两台。

4 总 图 运 输

4.1 一 般 规 定

4.1.1 总图运输设计应根据工业布局和城镇总体规划的要求,在满足各项技术条件的基础上,应做到节约用地、节省投资、技术先进、节能环保。

4.1.2 总图设计应结合地区条件,有利于城镇或邻近工业企业在交通运输、动力设施、综合利用和生活设施等方面统筹布局。

4.1.3 总图和运输布置应满足下列规定:

    1 总图布置应符合现行国家标准《工业企业总平面设计规范》GB 50187 和《纺织工程设计防火规范》GB 50565 的有关规定;

    2 总图布置应满足生产工艺流程的要求,生产车间宜集中组合成单层或多层联合厂房;

    3 总图布置应合理划分功能分区,各种辅助和附属设施宜邻近其服务的车间,单个小建筑物宜合并,或并入车间内部,动力供应设施宜接近负荷中心;

    4 厂前区行政办公及生活服务设施宜分别集中设置,用地面积不得超过工业项目总用地面积的 7%;

    5 交通运输应能保证生产流程顺畅和原料物料的运输路线便捷,应避免货流与人流交叉干扰。

4.2 建(构)筑物布置

4.2.1 练漂、染色、印花车间平面布置应符合下列规定:

    1 当采用锯齿形厂房时,宜选用锯齿朝南的方位,在夏热冬暖地区,宜选用锯齿朝北的方位;

    2 当采用气楼式厂房时,宜选用南北朝向;

3 当采用多层厂房时,宜选用"一"字形平面,附房宜设在厂房两端;

4 对于 L 形、U 形平面厂房的开口部分宜朝向夏季主导风向,并宜在 0°~45°之间。

4.2.2 锅炉房布置应符合下列规定:

1 当燃料采用煤时,锅炉房、煤场、灰渣场应布置在厂区全年最小频率风向的上风侧;

2 当燃料采用重油或柴油时,总图布置应设置储罐区,储油罐布置应符合本规范第 4.2.6 条的规定;

3 锅炉房布置宜接近生产车间的热负荷中心。

4.2.3 变配电室宜布置在高压线进线方向的地段,并宜接近厂区用电负荷中心。

4.2.4 给排水建(构)筑物宜集中布置,污水处理站应布置在厂区最小频率风向的上风侧,并不应影响附近生活服务区的卫生要求。

4.2.5 机修车间等各辅助设施宜集中布置,合并建设,并宜靠近生产车间,在其周围应设置露天堆场。

4.2.6 仓库布置应符合下列规定:

1 坯布库、成品库应分别接近生产车间的原布间和成品出口处;

2 机物料库宜缩小与主车间、辅助车间的距离;

3 危险化学品库、储罐等应设置于厂区全年最小频率风向的上风侧,并应符合现行国家标准《纺织工程设计防火规范》GB 50565 的有关规定。

4.3 道路运输

4.3.1 厂内道路的布置应满足生产运输、消防救援、安装检修、安全卫生、管线和绿化布置等要求,与厂外道路连接应平顺便捷。

4.3.2 厂内道路宜与主要建筑物成环状布置。当边缘地段作尽头式布置时,应设置回车场(道),其形式及尺寸大小应按通过的车型确定。

4.3.3 汽车装卸站台的地点应留有车辆停放和调车用地。当汽车平行于站台停放时,停车场宽度不应小于 3.0m;当垂直于站台停放时,停车场宽度不应小于 10.5m;当斜列 60°停放时,停车场宽度不应小于 8.5m;集装箱运输车进入厂区,最小回车场地宜为 30.0m×30.0m,并应设置集装箱货柜装卸平台。

4.3.4 厂区道路宜采用城市型道路,应符合现行国家标准《厂矿道路设计规范》GBJ 22 和《工业企业总平面设计规范》GB 50187 的有关规定。

4.3.5 厂区道路路面标高应与厂区竖向设计相协调,并应满足室外场地及道路的雨水排放要求。

4.4 竖 向 设 计

4.4.1 厂区竖向设计应符合下列规定:

  1 厂区不应受洪水、潮水及内涝水淹没;印染工厂的防洪要求应与所在城镇的防洪要求相一致;

  2 厂区竖向设计应根据生产工艺、建(构)筑物基础、雨水排除及土石方量平衡等因素,结合洪(潮、涝)水位、工程地质等自然条件综合确定。

4.4.2 竖向布置方式和设计标高选择应符合下列规定:

  1 竖向设计宜采用平坡式,当自然地面横坡较大时,附属和辅助建(构)筑物,可采用混合式或阶梯式竖向布置;台阶的划分应与厂区功能分区一致;

  2 厂区内地面标高应与厂外标高相适应;厂区出入口的路面标高,宜大于厂外路面标高;

  3 场地标高与坡度应保证场地雨水能迅速排除,并应满足厂内道路横坡、纵坡的要求;

  4 厂房室内地坪标高,宜大于室外地坪标高 0.15m。

4.5 厂 区 管 线

4.5.1 管线敷设方式应包含有直埋式、集中管沟、架空敷设等方式;设计时应根据自然条件,管内介质特征、管径、管理维护以及工艺要求等因素,经过综合比较后选用。

4.5.2 管线(沟)应沿道路和建(构)筑物平行布置,线路宜短捷顺直,不宜横穿车间内部,并应减少管线与道路及其他干管的交叉。

4.5.3 管线综合布置应符合现行国家标准《工业企业总平面设计规范》GB 50187 的有关规定。

4.5.4 地下管线、管沟不应布置在建(构)筑物的基础压力影响范围内,除雨水排水管外,其他管线不宜布置在车行道路下面。

4.6 厂区绿化

4.6.1 厂区绿化应根据印染工厂的特点和环境保护、工业卫生、厂容景观等要求进行设计。

4.6.2 厂内道路弯道及交叉口附近的绿化设计应符合行车视距的有关要求。

4.6.3 树木与建(构)筑物及地下管线的最小间距及绿化占地面积计算方法应符合现行国家标准《工业企业总平面设计规范》GB 50187 的有关规定。

4.7 主要技术经济指标

4.7.1 总平面设计宜列出下列主要技术经济指标,其计算方法应符合现行国家标准《工业企业总平面设计规范》GB 50187 的有关规定:

    1 厂区用地面积(hm^2);

    2 建筑物、构筑物占地面积(m^2);

    3 总建筑面积(m^2);

    4 容积率;

    5 建筑系数(%);

    6 铁路长度(km);

    7 道路及广场用地面积(m^2);

8 绿化用地面积(m²);

9 绿地率(%);

10 土(石)方工程量(m³);

11 投资强度(万元/hm²);

12 行政办公及生活服务设施用地面积(hm²);

13 行政办公及生活服务设施用地所占比重(%)。

4.7.2 分期建设的印染工厂,在总图设计中除应列出本期工程的主要技术经济指标外,还应列出用地红线内的主要技术经济指标。

5 建　筑

5.1　一 般 规 定

5.1.1　建筑设计应满足生产的要求,应根据地区气候特点满足采光、通风、排雾、保温、隔热、防结露、防腐蚀和节能环保等要求。

5.1.2　建筑防火设计应符合现行国家标准《纺织工程设计防火规范》GB 50565 的有关规定。

5.1.3　建筑防腐蚀设计应符合现行国家标准《工业建筑防腐蚀设计规范》GB 50046 的有关规定。

5.1.4　建筑采光设计应符合现行国家标准《建筑采光设计标准》GB 50033 的有关规定。

5.1.5　建筑地面设计应符合现行国家标准《建筑地面设计规范》GB 50037 的有关规定。

5.1.6　建筑设计应采用成熟的新建筑形式、新材料和新技术。

5.2　生 产 厂 房

5.2.1　生产厂房的建筑形式应根据建厂地区条件、综合其他各种因素,经技术经济比较后确定。可选用设有排气井的单层锯齿形厂房、气楼式单层厂房、气楼带排气井厂房或设排气井多层厂房等。

5.2.2　厂房平面宜避免四周设置附房,当必须设置时,对散发大量湿热空气的车间和附房之间应设置内天井。

5.2.3　锯齿形厂房当设备平行锯齿天窗排列时,风道大梁或现浇单梁的梁底高度宜为 5.0m～5.5m,垂直锯齿天窗排列时宜为6.0m～7.0m。气楼式厂房檐口高度不宜低于 7.5m。多层厂房底层层高宜为 7.0m～9.0m,二层层高宜为 6.0m～8.0m,三层层高宜为 5.0m～7.0m。

5.2.4 生产厂房建筑防腐蚀设计应符合下列规定：

1 生产车间气态、液态介质对建筑材料的腐蚀性等级应符合现行国家标准《工业建筑防腐蚀设计规范》GB 50046 的有关规定；

2 厂房平面布置宜将有腐蚀性介质作用的设备与无腐蚀性介质作用的设备隔开，湿、干车间隔开；具有同类腐蚀性介质的设备宜集中布置；

3 有腐蚀性气体作用且相对湿度较大的室内墙面和钢筋混凝土构件表面，钢构件表面（柱、梁）应做防腐涂料。

5.2.5 生产车间中有醋酸和氢氧化钠等危险化学品的作业场所，应就近设置紧急冲洗装置。

5.3 建筑防火、防爆

5.3.1 生产厂房的原布间、白布间、印花车间、整理车间、整装车间等干燥性生产车间的火灾危险性应为丙类；练漂、染色、皂洗等潮湿性生产车间的火灾危险性应为丁类。上述两类生产车间安排在同一防火分区时，火灾危险性应按丙类生产确定。烧毛间火灾危险性应为丙类，宜采用隔墙与相邻车间分隔。生产厂房建筑耐火等级不应低于二级。

5.3.2 涂层车间、气相整理车间应采用防火墙分隔为独立工段，涂层车间的溶剂调配间与相邻车间应采用防爆墙分隔，并应靠外墙布置，室内应有通风措施，对外应设有泄压的门窗或轻型泄压屋面。

5.3.3 泄压面积的计算应按现行国家标准《纺织工程设计防火规范》GB 50565 的规定执行。

5.4 生产辅助用房

5.4.1 生产辅助用房应包括染化料调配间、印花调浆间、空调室、筛网制版间、碱回收站、压缩空气站、化验室、物理试验室及变配电室、热力站等与生产密切相关的生产性附房。

5.4.2 染化料调配间应靠近染色间,并应设置通风排气装置。室内地面、墙裙应有防酸碱腐蚀的措施。

5.4.3 印花调浆间应靠外墙布置,应有良好的通风排气设施,宜自然采光。地面、墙裙应防腐蚀,地面应耐洗刷、防滑,并应设有排水坡度。

5.4.4 空调室的位置应靠近负荷中心并兼顾风道的合理布置,空调室的进风部位不应与厕所及散发其他不良气体的房间相邻。钢筋混凝土的空调洗涤室水池周围墙壁和底部均应采取防水措施。

5.4.5 设置汽油气化室应符合下列规定:

1 汽油气化室应设置在烧毛机附近;

2 其泄压设施应采用易于泄压的门、窗。

3 其与相邻车间的隔墙应采用防爆墙;

4 防爆墙上不宜开设门、窗,确需开设时,应采用防爆门、窗。当需设置内门时,则应采用门斗并应在不同方位布置甲级防火门。

5.4.6 碱回收站与染整车间宜分开独立设置,当毗连车间时,应布置在丝光机附近并靠外墙,蒸发器部位在南方地区宜设置敞开式建筑。建筑物结构部位应根据碱液浓度采取防腐蚀处理。

5.4.7 压缩空气站宜布置于生产车间附房内,其位置应靠近用气负荷中心,建筑应采取隔声措施,并应符合现行国家标准《工业企业厂界环境噪声排放标准》GB 12348 及《工业企业噪声控制设计规范》GB 50087 的有关规定。

5.4.8 化验室、物理试验室根据工厂规模可附设于生产车间附房内,亦可单独设置厂级中心物理试验室、化验室。物理试验室、化验室宜南北向布置,应有较好的通风、排气装置和排水地沟。地面应防滑、耐磨。

5.4.9 变配电室上层不应布置有水、汽的房间。配电室应采取防止水、潮气及小动物侵入室内的措施。变配电室设计应符合相应变电所(站)设计要求。

5.4.10 热力站宜设置在生产车间附房内,其位置宜靠近供热负荷中心。室内应有通风设施,地面应有防止积水措施,门应向外开启。

5.5 生产厂房主要建筑构造

5.5.1 生产厂房的屋面设计应符合下列规定:

1 屋面类型的选择应根据建筑结构形式、建厂地区气候条件、屋面材料和天窗采光等使用要求综合考虑;

2 锯齿屋面坡度不应小于 1∶2.5,锯齿天沟宜采用外排水,当确有可靠技术措施时,锯齿屋面天沟排水坡度可采用不小于 0.5% 的坡度;气楼式屋面坡度不应小于 1∶2.5,轻钢结构用于干燥性生产车间的屋面坡度不宜小于 5%;

3 厂房屋面构造应设置防止内表面结露的隔汽层,严寒地区应采取防结露措施;

4 轻钢屋盖宜选用优质压型钢板,屋盖保温层宜采用有相应隔汽层的玻璃棉毡等保温材料;

5 腐蚀性气体排放口周围的屋面宜采取耐腐蚀防护措施;

6 厂房高度大于 6.0m 时,应设置可直接到屋面的垂直爬梯,当从其他部位能到达时,可不设置。垂直爬梯的高度大于 6.0m 时,应有护笼。

5.5.2 生产厂房的墙体应符合下列规定:

1 生产厂房墙体应满足建筑热工设计要求;

2 框架填充墙不得使用粘土砖,应采用非粘土类砌块或轻质板材;

3 内墙面应平整光洁,宜采用水泥砂浆抹面,对无腐蚀性气体作用且相对湿度不大的室内墙面,可采用混合砂浆;

4 有设备出入车间的门尺寸,应按设备尺寸确定,大门应比通过的设备高、宽各超出 0.6m 以上。

5.5.3 地面和楼面设计应符合下列规定:

1 练漂、染色、印花车间楼地面应设置坡向排水沟或地漏的坡度,排水坡度不应小于 0.5%,其楼地面应有防滑措施;

2 当溢水多的印染设备布置在楼层时,设备下部宜设集水盘,位于楼层上可能积水的房间,其楼面应设整体防水层;

3 有腐蚀性介质作用的楼地面和设备基础的防护,应符合现行国家标准《工业建筑防腐蚀设计规范》GB 50046 的有关规定;

4 整装车间楼地面应防尘、耐磨。

5.5.4 地沟、地坑及地下防水的设计应符合下列规定:

1 印染工厂内的地沟,在满足生产的前提下,宜减少沟道的长度、深度和交叉点,除与设备基础相结合以外,沟道宜避开设备基础,布置在设备之间的通道下面;

2 地沟不应利用建筑物的承重墙基础等兼作其底板和侧壁;

3 有腐蚀性介质作用的地沟应采取防腐蚀措施;

4 室内排水地沟在车间出口处应设集水坑及格栅装置。

5.5.5 采光窗及天窗设计应符合下列规定:

1 建筑物窗宜选用塑钢窗、玻璃钢窗,不宜采用钢窗、铝合金窗;

2 窗的层数应根据地区气候条件,由热工计算确定;

3 锯齿天窗应设有部分开启方便的窗扇;当采用电动开窗器时,则应有防潮、防腐蚀的措施;

4 天窗窗框材料宜采用防腐蚀涂料的钢筋混凝土窗、塑钢窗及玻璃钢窗;

5 轻钢结构屋盖上的采光窗宜采用优质树脂、薄膜、玻纤复合材料组成的采光窗。

5.5.6 排气井构造应力求简单、施工维修方便。井筒内壁应平整光滑、耐腐蚀,并应有防止雨水侵入车间和凝结水下滴的措施。沿锯齿或气楼屋脊设置的通长排气井筒应有隔板分隔,隔板间距不宜大于 3.0m。排气井材质宜采用无机不燃玻璃钢。

5.5.7 气楼式厂房气楼两侧挡风板宜用树脂采光板,其连接檩条宜用预制钢筋混凝土构件。

6 结　　构

6.1 一　般　规　定

6.1.1 印染工厂的结构设计应符合现行国家标准《建筑抗震设计规范》GB 50011、《建筑设计防火规范》GB 50016、《混凝土结构设计规范》GB 50010、《混凝土结构耐久性设计规范》GB/T 50476、《纺织工程设计防火规范》GB 50565、《工业建筑防腐蚀设计规范》GB 50046 的有关规定。

6.1.2 结构设计应积极、慎重地采用新材料、新技术、新结构，并应进行多方案比选，优化设计。

6.1.3 本章结构设计应适用于抗震设防烈度为 6 度和 6 度以下单层带排气井的装配式门形架承重钢筋混凝土锯齿形排架结构印染厂，7 度和 7 度以下单层带排气井的三角架承重钢筋混凝土锯齿形排架结构印染厂，以及 8 度和 8 度以下的其他单层排架、刚架和多层框架结构印染厂的结构设计。

6.1.4 练漂、染色车间混凝土结构的环境类别应按二类确定；印花、整理、整装车间混凝土结构的环境类别可按一类确定；受腐蚀性介质作用的混凝土结构，其环境类别应按五类确定。

6.2 结　构　选　型

6.2.1 印染厂房的结构选型应遵循下列基本原则：

　　1 满足印染生产工艺、采光、排雾气、防结露滴水、通风要求；

　　2 因地制宜，适合当地气象条件，并考虑建厂地区的施工条件和材料供应。

6.2.2 练漂、染色车间，除北方严寒地区外，宜采用带排气井或带气楼的结构形式。

6.2.3 练漂、染色车间,应采用钢筋混凝土结构,印花、整理、整装车间,当采取有效的防腐蚀、防火措施后,可采用单层轻钢结构或钢筋混凝土柱与轻钢屋盖组合的结构形式。

6.2.4 练漂、染色车间可选用单层钢筋混凝土锯齿形结构,并应符合下列规定:

　　1 对单层带排气井的三角架承重锯齿形排架结构,风道与承重结构相结合时,该排架结构的纵向承重结构,可采用双梁或Ⅱ型梁方案(图 6.2.4-1)。当采用悬挂风道方案或不设置风道时,可采用单梁方案(图 6.2.4-2),梁上搁置三角架,三角架上搁置屋面板和排气井,形成带排气井的三角架承重锯齿形屋盖体系。三角架承重锯齿形排架结构,除应符合有关技术要求外,还应符合下列规定:

　　　　1)锯齿排架跨度宜采用 12.0m～15.0m,风道大梁柱距宜采用 8.0m～13.5m;

　　　　2)屋面板宜采用板底平整的预应力混凝土圆孔板或倒槽板;

　　　　3)当采用双梁锯齿排架时,应采取有效措施保证厂房结构的稳定;

　　　　4)当采用单梁锯齿排架时,单梁宜与排架柱整体浇捣。

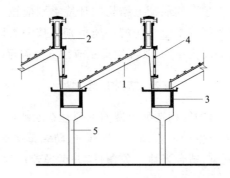

图 6.2.4-1　带排气井的三角架承重双梁锯齿形排架

1—三角架;2—钢筋混凝土排气井;3—双梁风道;

4—钢筋混凝土天窗框;5—牛腿柱

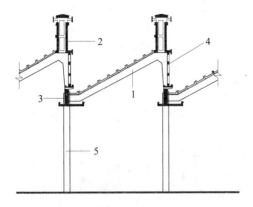

图 6.2.4-2 带排气井的三角架承重单梁锯齿形排架
1—三角架;2—钢筋混凝土排气井;3—现浇单梁;
4—钢筋混凝土天窗框;5—现浇柱

2 对单层带排气井的装配式门形架承重锯齿形排架结构
(图 6.2.4-3),纵向承重可采用双梁或Ⅱ形梁方案,梁上搁置门形
架,风道顶板上搁置天窗框,门形架和天窗框上搁置钢筋混凝土排
气井,屋面板一端搁置在门形架上,另一端直接搁置在风道大梁
上,形成带排气井的锯齿形屋盖体系,设计时除应符合有关技术要
求外,还应符合本条第1款中第1项~第3项的要求。

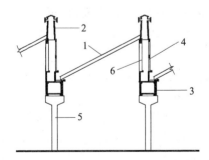

图 6.2.4-3 带排气井的装配式门形架承重锯齿形排架结构
1—屋面板;2—钢筋混凝土排气井;3—双梁风道;
4—钢筋混凝土天窗框;5—牛腿柱;6—门形架

3 对单层带排气井的纵向框架锯齿形结构(图6.2.4-4),纵向承重体系应采用现浇框架结构,纵向框架梁间搁置预应力空心板,形成横向排架纵向框架的锯齿形承重体系。设计时除应符合有关技术要求外,尚应符合下列规定:

    1)跨度宜采用8.0m~18.0m,柱距宜采用6.0m~8.0m;

    2)屋面宜采用大跨度SP预应力空心板,也可采用倒槽板。

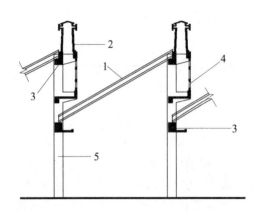

图 6.2.4-4　带排气井的纵向框架锯齿形结构

1—屋面板;2—钢筋混凝土排气井;3—纵向框架梁;

4—钢筋混凝土天窗框;5—框架柱

6.2.5 单层厂房中的练漂、染色车间,也可选用下列带气楼的单层钢筋混凝土斜梁框架结构和带排气井的单层门式刚架结构,并应符合下列规定:

  1 带气楼的单层斜梁框架结构(图6.2.5-1)应符合下列规定:

    1)跨度宜采用12.0m~15.0m,当大于15.0m时,可采用预应力钢筋混凝土屋面梁,柱距宜采用6.0m~8.0m;

    2)屋面板宜采用现浇钢筋混凝土屋面板,主次梁宜上翻,板底宜平整。

  2 带排气井的单层门式刚架结构(图6.2.5-2)除应符合有关技术要求外,尚应符合下列规定:

1)跨度宜采用12.0m～18.0m,不宜大于18.0m,柱距宜采
  用6.0m～8.0m;

2)屋面板宜采用SP预应力空心板和倒槽板。

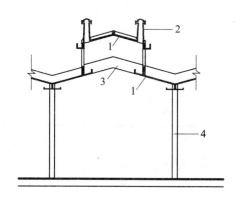

图6.2.5-1 带气楼的单层斜梁框架结构

1—现浇屋面板;2—钢筋混凝土排气井;3—上翻屋面梁;4—现浇框架柱

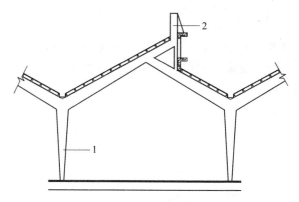

图6.2.5-2 带排气井的单层门式刚架结构

1—装配式门架;2—排气井

6.2.6 单层厂房中的印花、整理、整装车间,可采用带排气功能的钢筋混凝土排架结构(图6.2.6)。设计时除应符合有关技术要求外,尚应符合下列规定:

1 跨度宜采用 12.0m～18.0m,柱距宜采用 6.0m;

2 屋面板宜采用 SP 预应力空心板和倒槽板。

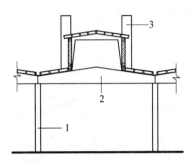

图 6.2.6　带排气功能的钢筋混凝土排架结构

1—预制柱;2—预制屋面梁;3—排气井

6.2.7　单层厂房中的印花、整理、整装车间,当采取有效防腐蚀、防火措施后,可采用带气楼的单层轻钢门式刚架结构(图 6.2.7-1)和带排气楼的单层轻钢排架结构(图 6.2.7-2)。也可采用带顶侧窗的单层轻钢排架结构(梁柱铰接)(图 6.2.7-3)。设计时应符合下列规定:

1　跨度宜采用 21.0m～27.0m,柱距宜采用 6.0m～8.0m;

2　屋面梁应采用斜坡式,屋面坡度不宜小于 5%。檩条下宜采用有较好防腐蚀性能的底层镀铝锌钢板。

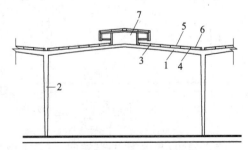

图 6.2.7-1　带气楼的单层轻钢门式刚架结构

1—门刚梁;2—门刚柱;3—檩条;4—屋面底层压型钢板;
5—屋面面层压型钢板;6—屋面保温材料;7—气楼

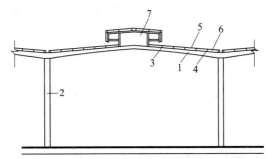

图 6.2.7-2　带气楼的单层轻钢排架结构

1—轻钢梁；2—钢筋混凝土柱；3—檩条；4—屋面底层压型钢板；

5—屋面面层压型钢板；6—屋面保温材料；7—气楼

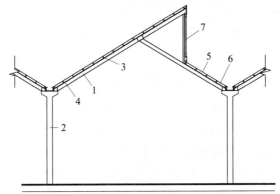

图 6.2.7-3　带顶侧窗的单层轻钢排架结构（梁柱铰接）

1—轻钢梁；2—钢筋混凝土柱；3—檩条；4—屋面底层压型钢板；

5—屋面面层压型钢板；6—屋面保温材料；7—顶侧窗

6.2.8 印染工厂可采用多层框架结构，并应符合下列规定：

1 多层框架结构宜采用全现浇钢筋混凝土结构，并宜设置竖向排气井；

2 在练漂、染色车间应采取防水及防腐蚀措施。

6.3 结 构 布 置

6.3.1 厂房的柱网应整齐，并应符合建筑模数。

6.3.2 单层装配式锯齿形厂房跨度方向可不设置伸缩缝,柱距方向伸缩缝间距不宜超过 100m。

6.3.3 单层钢筋混凝土厂房、单层轻钢结构厂房、多层钢筋混凝土厂房和附房的伸缩缝间距应符合现行国家标准《混凝土结构设计规范》GB 50010、《砌体结构设计规范》GB 50003 的有关规定。

6.3.4 单层钢筋混凝土锯齿形排架主厂房、门式刚架结构主厂房与附房宜相互脱开,其间设置伸缩缝或抗震缝。

6.3.5 多层钢筋混凝土结构主厂房与钢筋混凝土结构的附房可连成一体,但应满足钢筋混凝土结构伸缩缝间距限值的要求。当附房采用砌体结构时,主体结构与附房应脱开。

6.3.6 单层轻钢门式刚架结构与钢筋混凝土结构或砌体结构附房应脱开。

6.4 设 计 荷 载

6.4.1 结构自重、施工或检修集中荷载、风荷载、屋面雪荷载、不上人屋面均布活荷载应按现行国家标准《建筑结构荷载规范》GB 50009 确定,悬挂荷载应按实际情况确定。

6.4.2 多层印染厂房的楼面在生产使用或安装检修时,由设备、管道、运输工具等产生的局部荷载,均应按实际情况确定,也可采用等效均布活荷载代替。当差别较大时,应划分区域分别确定。

6.4.3 楼面等效均布活荷载,应包括按设备实际荷载(溶液和产品重量)折算的等效荷载和无设备区域的操作荷载之和,无设备区域的操作荷载可取 $2.0kN/m^2$。

6.4.4 楼面等效均布活荷载的确定应符合现行国家标准《建筑结构荷载规范》GB 50009 的有关规定。

6.4.5 当沟道盖板上直接作用有设备荷载时,应按实际情况确定,当有运输设备通过时,沟道盖板的计算活荷载标准值可取 $10.0kN/m^2$,准永久值系数应取 0.5。

6.5 结 构 计 算

6.5.1 装配式三角架承重多跨双梁锯齿排架结构计算(图 6.5.1)应采用计算机进行内力分析,并应符合下列规定:

1 牛腿柱高度 H 均应取基础杯口面(或基础顶面)至风道大梁顶面的高度;在计算牛腿柱侧移刚度时,可忽略风道大梁和牛腿刚度的影响,近似按无牛腿等截面柱计算;

2 三角架及柱子的侧移刚度应取风道大梁跨度内诸榀三角架或柱子侧移刚度之和计算;

3 图 6.5.1 中风荷载和垂直荷载应分别计算,并应进行内力组合分析。

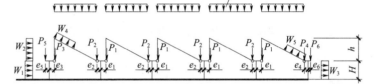

图 6.5.1 装配式三角架承重多跨双梁锯齿排架使用阶段计算简图

注: q——屋面垂直荷载;

W_1、W_2、W_3、W_4、W_5——风荷载;

P_1、P_2、P_3、P_4、P_5、P_6——风道梁传给牛腿的集中力;

e_1、e_2、e_3、e_4、e_5、e_6——牛腿柱偏心矩;

h——三角架轴线高度;

H——牛腿柱高度。

4 装配式三角架承重锯齿排架结构计算除应进行使用阶段内力分析外,还应验算中柱在吊装阶段的内力和配筋;吊装阶段计算荷载仅需计入各构件自重,可不考虑屋面保温隔热、粉刷等自重影响;

5 抗震设防地区内力计算和内力组合应符合现行国家标准《建筑抗震设计规范》GB 50011 的有关规定;

6 装配式三角架承重多跨锯齿排架牛腿柱、三角架立柱计算长度系数可按照表 6.5.1 的规定采用。

表 6.5.1 三角架承重多跨锯齿排架牛腿柱、三角架立柱计算长度系数

柱	S_Δ/S	$S_\Delta/S<2$	$S_\Delta/S\geqslant2$
牛腿	中柱	1.50	1.25
	边柱	1.75	1.50
三角架立柱	中立柱	1.50	—
	边立柱	1.50	—

注:表中 S_Δ/S 为三角架侧移刚度与中柱侧移刚度之比。

6.5.2 带气楼的单层钢筋混凝土斜梁框架结构应考虑梁面坡度对内力计算的影响,按斜梁实际坡度计算简图计算,不得简化成水平梁。

6.5.3 单层钢筋混凝土柱钢折梁排架结构计算中,应考虑钢筋混凝土柱裂缝对柱刚度的影响。

6.6 带排气井的单层锯齿形厂房构造要求

6.6.1 带排气井的三角架承重锯齿厂房构造(图 6.6.1-1)应符合下列规定:

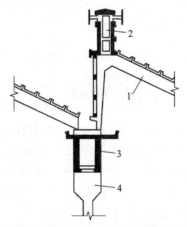

图 6.6.1-1 带排气井的三角架承重锯齿厂房构造
1—三角架;2—排气井;3—风道大梁;4—排架柱

1 屋面板在三角架上的搁置长度不宜小于 80mm,屋面板与三角架的连接应采用钢板焊接连接或预留钢筋后浇灌混凝土连接,其中预留钢筋后浇灌混凝土连接只可用于非地震区。

1)三角架横梁上、下端屋面板,屋面板上的四角预埋钢板应与三角架横梁上的钢板焊接连接。焊接连接的屋面板应通长布置。其余屋面板焊接不应少于 3 点(图 6.6.1-2)。

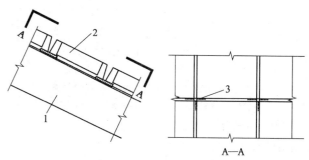

图 6.6.1-2 屋面板与三角架的连接构造(一)

1—三角架;2—屋面板;3—每块板不少于三点满焊

2)三角架横梁上应预留插筋与屋面板内伸出钢筋绑扎,然后浇灌混凝土,连成整体(图 6.6.1-3)。每块板的板缝内应增设焊接网片与三角架横梁上预留插筋绑扎,然后浇灌混凝土整体连接(图 6.6.1-4)。

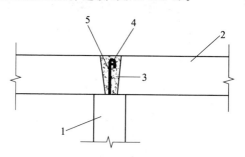

图 6.6.1-3 屋面板与三角架的连接构造(二)

1—三角架;2—屋面板;3—细石混凝土灌缝;

4—通长 φ8 钢筋;5—三角架中预留 φ10@500 插筋

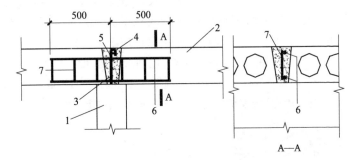

图 6.6.1-4　屋面板与三角架的连接构造（三）

1—三角架；2—屋面板；3—细石混凝土灌缝；

4—通长 φ6 钢筋；5—三角架中预留 φ6@300 插筋；

6—2φ6 焊接钢筋网片；7—φ6@200 焊接钢筋网片

2 三角架立柱下端和斜梁下端预埋钢板应与风道板或梁上的预埋钢板焊接连接（图 6.6.1-5）。

3 风道大梁顶部搁置预制风道顶板应通过预埋钢板与风道大梁互相连接，上面应浇捣 50mm～80mm 厚钢筋混凝土整浇层和上翻梁与风道大梁梁顶上预留钢筋浇成整体（图 6.6.1-5）。

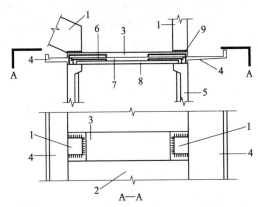

图 6.6.1-5　风道板与风道大梁的连接构造

1—三角架；2—现浇风道板；3—现浇上翻梁；4—现浇防滴沟；5—风道大梁；

6—风道大梁预留钢筋；7—现浇风道顶板；8—预制风道顶板；9—电焊

4 根据排气井的设置情况,天窗框宜直接贴在三角架外缘或通过悬臂梁搁置在三角架外侧。连接方法应采用预埋钢板焊接连接(图 6.6.1-6)。

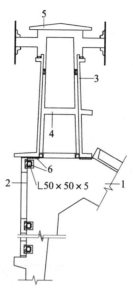

图 6.6.1-6 排气井、天窗框与三角架的连接构造
1—三角架;2—天窗框;3—排气井侧板;4—排气井隔板;
5—排气井顶板;6—电焊

5 风道大梁下端预埋钢板与牛腿面预埋钢板应电焊连接,搁置长度不应小于 150mm(图 6.6.1-7)。

6 主结构的东西锯齿山墙宜与附房脱开,应砌筑在边柱风道大梁上的预制墙梁上。预制墙梁一端与风道大梁应通过预埋钢板电焊连接,另一端应搁置在大梁上,并应沿墙梁轴线方向做成可靠的滑动支座连接。边屋面板和三角架应预留 10mm 钢筋或螺栓,砌入墙内与锯齿端墙锚固拉结(图 6.6.1-8、图 6.6.1-9)。

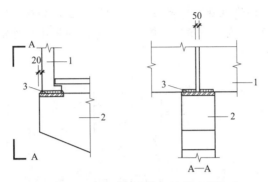

图 6.6.1-7 风道大梁与牛腿柱的连接构造

1—风道大梁；2—牛腿柱；3—电焊

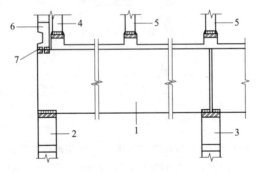

图 6.6.1-8 三角架、风道大梁、牛腿柱、山墙的连接节点

1—风道大梁；2—边牛腿柱；3—中牛腿柱；4—边三角架立柱；5—中三角架立柱；

6—边跨墙梁；7—靠天窗端搁置在风道大梁上做滑动支座连接，另一端电焊连接

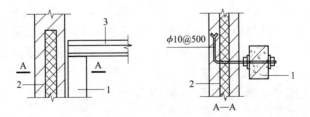

图 6.6.1-9 锯齿山墙连接构造

1—边三角架；2—山墙；3—屋面板

6.6.2 单层锯齿形厂房排气井构造应符合下列规定：

1 排气井的上、下口高度尺寸应根据当地气候条件和工艺要求通过试验或计算确定。上口宽度宜取 0.4m～0.5m，下口宽度宜取 0.6m～0.7m；高度宜为 1.5m～1.8m，不宜超过 2.0m。排气井上口应设置遮雨顶板，两侧设置挡风板。

2 排气井宜采用装配式钢筋混凝土构件，也可采用钢筋混凝土框架作为骨架的玻璃钢结构；不宜采用钢或木骨架，也不应采用砖砌排气井。

3 钢筋混凝土排气井宜采用装配式结构，分别由侧板、隔板和顶板装配而成。在施工条件许可时，可在地面拼装后整体吊装。

4 排气井与三角架或承重门形架的连接，宜预埋钢板电焊连接。

5 排气井内外应涂耐腐蚀涂料。连接件宜采用不锈钢制造。

6.7 抗震构造措施

6.7.1 混凝土结构的抗震设计应符合现行国家标准《混凝土结构设计规范》GB 50010 的有关规定。其中单层锯齿形厂房除应满足单层铰接排架结构厂房的抗震要求外，尚应符合本节的其他规定。

6.7.2 锯齿形厂房主车间与附房间应设置抗震缝，抗震缝宽度应符合现行国家标准《建筑抗震设计规范》GB 50011 中的有关规定。

6.7.3 预制构件之间的连接应保证质量。构件连接用的预埋件的锚固钢筋长度，应满足抗震锚固长度要求。

6.7.4 屋面支撑体系的抗震构造措施应符合下列规定：

1 采用钢筋混凝土天窗框的锯齿形厂房，可利用天窗框作为屋面垂直支撑；此时天窗框与三角架立柱、天窗框与天窗框之间，应通过钢板焊接或螺栓有效连接；

2 采用钢窗天窗的锯齿形厂房，东西两端和伸缩缝两侧应设

置垂直支撑;中间部位每隔 30m～45m 应增设一道垂直支撑;

    3 锯齿窗下墙宜采用预制钢筋混凝土构件,并应与承重结构有可靠的连接。

6.7.5 牛腿柱在牛腿下 500mm 范围内和柱底至室内地坪以上 500mm 范围内,以及三角架立柱底面以上 500mm 及斜梁面以下 500mm 并不小于立柱截面高度范围内,应设置箍筋加密区,加密区箍筋间距不应大于 100mm,加密区箍筋直径应符合现行国家标准《混凝土结构设计规范》GB 50010 的有关规定。牛腿柱牛腿水平箍筋的直径不应小于 8mm,箍筋间距不应大于 100mm。厂房柱子的箍筋应符合现行国家标准《建筑抗震设计规范》GB 50011 的有关规定。三角架斜梁与立柱联结节点的抗震构造要求应符合现行国家标准《混凝土结构设计规范》GB 50010 的有关规定。

6.7.6 厂房东西端部应设三角架,不应采用山墙承重。

6.7.7 双梁锯齿排架的中柱牛腿宜采用不等长牛腿。

6.7.8 屋面板应与三角架焊牢,靠三角架立柱的屋面板与三角架的连接焊缝长度不宜小于 80mm,且该处三角架梁顶面与屋面板焊接的预埋件的锚筋不宜少于 4ϕ10。

6.7.9 风道大梁在牛腿柱上的支承端宜将腹板加厚至不少于 300mm,并应设暗柱配筋,暗柱竖向纵筋不宜少于 4ϕ12。

6.7.10 风道大梁与牛腿柱顶的连接,宜采用焊接连接,风道大梁端部支承垫板的厚度不宜小于 16mm。

6.7.11 三角架与风道大梁间应采用焊接连接。各非结构构件与结构构件间均应采用焊接连接。

6.7.12 附房宜采用框架结构,其抗震措施应符合现行国家标准《建筑抗震设计规范》GB 50011 的有关规定。

6.8 地基基础

6.8.1 印染厂房内的设备基础、管沟等宜与厂房柱子基础分开,厂房柱基的设计应考虑邻近建筑物基础、设备基础、地下沟道、管线的影响。

6.8.2 地下沟道埋置深度不宜大于建筑基础。

6.8.3 工艺设备基础不均匀差异沉降量不应大于工艺设备要求的允许值。

7 给水排水

7.1 一般规定

7.1.1 给水排水设计应满足生产、生活和消防的要求，做到安全适用、技术先进、经济合理、保护环境。

7.1.2 水源、给水排水方式、设备材料的选择等应做到节约用水、节约能源、节约材料，并应进行水的重复利用及废水回用。

7.1.3 给水排水设计应在满足使用要求的同时为施工、安装、操作管理、维修检测以及安全保护等提供便利条件。

7.2 用水量、水质和水压

7.2.1 用水量的确定应符合下列规定：

1 全厂用水量宜根据生活用水量、工艺生产用水量、冷冻空调用水量、循环冷却水补充水量、公用设施用水量、绿化用水量、管网漏失量等经综合计算确定；

2 工艺用水量应由工艺专业确定，小时变化系数宜为 1.4～2.0；

3 空调用水宜根据设备运行状况按循环水量的 1％～2％确定补充水量；

4 喷射冷凝器冷却水量应按工艺要求确定；

5 厂区生活用水，配套的公用设施、集体宿舍、住宅区生活用水、绿化、汽车冲洗用水应符合现行国家标准《建筑给水排水设计规范》GB 50015 和《民用建筑节水设计标准》GB 50555 的有关规定；

6 未预见水量宜按用水量的 10％计算；

7 当设有自备给水净水站时，水站自用水量宜按给水量的

5％～10％计算；

8 网漏失量宜按 5％～10％计算；

9 应考虑消防用水量，其供水管网为消防、生产合用时应进行消防时的流量、压力校核。

7.2.2 用水水质的确定应符合下列规定：

1 印染生产用水水质应根据产品种类、染色工艺、产品质量、设备状况确定，也可按本规范表 3.6.1 的要求执行；

2 喷射冷凝器冷却水宜采用总硬度不大于 17.5mg/L 的软水。

7.2.3 给水压力应根据车间布置、生产设备及消防要求通过计算确定。单层厂房的车间进口工艺给水压力宜为 0.2MPa～0.25MPa，当部分设备水压要求较高时，宜采取局部加压措施。

7.3 水源与水处理

7.3.1 供水水源的选择应满足当地的水资源规划要求；应在取得有关水资源资料的基础上，经技术经济比较后确定。水量充沛、水质良好的地表水宜作为印染厂的工艺用水水源，当一种水源不能满足要求时，可选择一种以上水源。

7.3.2 当水源水质无法直接满足生产、生活需要时，应经过处理后使用。

7.4 给水系统和管道布置

7.4.1 给水系统应符合下列规定：

1 给水系统应充分利用市政给水的压力直接供水；

2 有不同压力、水质要求的供水点时宜采用分质、分压供水；

3 冷却水应采用循环方式或加以重复利用。

7.4.2 给水系统室外干管及车间工艺引入管的设计流量宜按最高日最大小时用水量确定，支管设计宜按秒流量计算。

7.4.3 给水管道材质和布置应符合下列规定：

1 厂区消防给水管应环状布置,生产、生活给水管道宜环状布置,环状管道应设置阀门分成若干可以检修的独立段;

2 室内给水管道宜采取明管沿内墙或柱子架空敷设;当室外架空敷设时,应考虑防冻措施;给水管与蒸汽管、电缆桥架等上下平行敷设时应布置在蒸汽管、电缆桥架的下面;

3 给水管道不应穿过设备基础,不宜穿过沉降缝、伸缩缝、变形缝,当必须穿过时应采取相应防止管道损坏的技术措施;

4 给水管道不应穿越变配电房、电梯机房、电脑打样室等遇水会损毁设备和引发事故的房间,并不得布置在后整理设备的上方;

5 给水管道不应穿越风道,不应横越空调室的进风窗和回风窗;

6 给水管道不宜穿过防火墙,当必须穿过时,应采用防火封堵材料将墙与管道之间的空隙紧密填实,穿过防火墙处的管道保温材料,应采用不燃材料;当管道为难燃及可燃材料时,应在防火墙两侧的管道上采取防火措施;

7 给水系统应根据不同使用性质及计费标准分别设置计量设施;厂区总进水、车间进水口、各工段或主要用水设备应设置水量计量设施;设有独立卫生间的集体宿舍应每间设置冷、热水计量设施;

8 埋地生产、生活给水管宜采用塑料给水管、有衬里的铸铁给水管、经可靠防腐处理的钢管等;室外埋地消防管道宜采用球墨铸铁管、钢丝骨架塑料复合给水管和加强防腐的钢管等管材;

9 架空给水管宜采用塑料给水管、塑料和金属复合管、内外壁热浸镀锌钢管、不锈钢管、经防腐处理的钢管等,室内外架空消防管道应采用热浸锌镀锌钢管等金属管材;

10 软水给水管宜采用塑料给水管、塑料和金属复合管、内外壁热浸镀锌钢管、不锈钢管等。

7.4.4 给水设计应符合现行国家标准《建筑给水排水设计规范》GB 50015 和《城镇给水排水技术规范》GB 50788 的有关规定。

7.5 消防给水和灭火设施

7.5.1 印染工厂应设室内、室外消火栓给水系统。消防体制、消防设施的设置、消防用水量、水压及火灾延续时间等应符合现行国家标准《建筑设计防火规范》GB 50016、《消防给水及消火栓系统技术规范》GB 50974 和《纺织工程设计防火规范》GB 50565 的有关规定。

7.5.2 棉、毛、丝、麻、化纤、毛皮及其制品的仓库设置自动灭火系统应符合现行国家标准《建筑设计防火规范》GB 50016 的有关规定，并宜采用自动喷水灭火系统，自动喷水灭火系统的设计应符合现行国家标准《自动喷水灭火系统设计规范》GB 50084 的有关规定。

7.5.3 灭火器配置应符合现行国家标准《建筑灭火器配置设计规范》GB 50140 的有关规定。

7.5.4 消火栓应处于明显易于取用和便于火灾扑救的位置，当处于运输通道等容易遭到破坏的位置时应采取保护措施。

7.6 排水系统和管道布置

7.6.1 排水量及排放应符合下列规定：

1 生产排水量应根据生产用水量计算；生产排水中应区分生产污水、生产废水、清洁废水及生活污水；生产污水量的小时变化系数宜为 1.5～3.0；

2 住宅、宿舍区生活污水量、车间生活排水量计算应符合现行国家标准《建筑给水排水设计规范》GB 50015 的有关规定；

3 雨水排水量应根据当地降雨资料、径流等状况通过计算确定；

4 各类废水应经过处理后排放，处理要求应满足技术要求，废水排放标准应符合现行国家标准《纺织染整工业水污染物排放标准》GB 4287 的有关规定。

7.6.2 排水系统应符合下列规定：

1 排水系统应采用生活、生产排水与雨水分流的排水系统；

2 生产排水应采用清、污分流以及浓、淡分流的排水系统，废水收集方式应与污水处理工艺要求一致；

3 雨水管渠设计重现期应根据汇水地区性质、城镇类型、地形特点和气候特征等因素，经技术经济比较后确定，并应符合现行国家标准《室外排水设计规范》GB 50014 的有关规定；

4 除北方寒冷地区外屋面雨水宜采用外排水系统，大型屋面宜按压力流设计；屋面雨水设计重现期宜按 2 年～5 年，建筑屋面雨水排水工程应设置溢流设施，溢流排水不得危害建筑设施和行人安全；重力流屋面雨水排水工程与溢流设施的总排水能力不应小于 10 年重现期的雨水量；

5 卫生间污水、食堂含油污水、机修含油污水、锅炉冲渣废水等宜单独进行预处理后排入废水系统；

6 厂区的雨水宜集中排放，在排入水体或市政雨水管前应根据地方要求设置废水收集设施。

7.6.3 排水管道布置和材质应符合下列规定：

1 车间内工艺排水宜采用暗沟排放，沟渠应有可靠的防渗漏措施；排水沟的设备排出口、三叉口及转弯处应设置检查用的活动盖板，排放有腐蚀性废水时，暗沟应有可靠的防腐措施；工艺冷却水宜采用管道排放；当实施排水热能回收时排水管（沟）应有保温措施；

2 排水管道不得穿过沉降缝、伸缩缝、变形缝、烟道和风道；

3 室内排水沟与室外排水管道的连接处，应设水封装置，水封高度应大于 250mm；

4 调浆桶排水槽下的排水管管径不得小于 200mm；

5 当室内塑料排水立管处于推车、搬运车经过的位置时应采取防护措施；

6 厂区内排水管道宜采用埋地排水塑料管、承插式混凝土管或钢筋混凝土管等；排水温度大于 40℃时应采用耐热排水管；

    7 排水具有腐蚀性时应采用耐腐蚀管材。

7.6.4 印染废水处理系统的设计应符合国家现行标准《纺织工业企业环境保护设计规范》GB 50425 和《纺织染整工业废水治理工程技术规范》HJ 471 的有关规定。

7.7 水的重复利用及废水回用

7.7.1 适合建设废水回用设施的工程项目，应配套建设废水回用设施。

7.7.2 设计时应采取循环用水、一水多用、清洁废水回用等措施，对收集排放的废水宜进行深度处理后回用。

7.7.3 回用水质应满足有关用水的水质标准，当回用于生产时其水质应满足生产工艺的要求，不同水质要求的回用水宜分别进行处理。

7.7.4 应充分利用余热、废热等资源，热水制备应积极采用太阳能、地热能、空气能（热水系统）等可再生能源；高温热排水应实施热能回收，排至处理装置的高温污水不宜采用冷却塔进行冷却。

7.7.5 回用水管必须采取防止误接、误用、误饮措施，严禁与生活饮用水管连接。

8 供暖通风与空调

8.1 一般规定

8.1.1 供暖通风与空调设计在满足生产工艺及劳动保护要求的前提下,应采用投资少、运行费用低、技术先进、节能环保的设计方案,并应满足便于施工、安装、操作及维护的要求。

8.1.2 印染工厂宜具有良好的自然通风条件,厂房外墙宜少设附房,附房宜避开主导风向的迎风面。

8.1.3 围护结构应有良好的保温措施,其屋面、外墙、天沟等的最小热阻应满足减少能耗和防止结露的要求,其值应根据车间内的温湿度及气象条件计算确定。

8.1.4 印染工厂的防排烟设计应符合现行国家标准《建筑设计防火规范》GB 50016 的有关规定。

8.1.5 供暖、通风、空调系统监测与控制设计应符合现行国家标准《工业建筑供暖通风与空气调节设计规范》GB 50019 的有关规定。

8.2 室内外设计参数

8.2.1 室外空气计算参数应符合现行国家标准《工业建筑供暖通风与空气调节设计规范》GB 50019 的有关规定。

8.2.2 室内设计参数应符合下列规定:

　　1 车间内工人操作地点的温度和空气中有害物质的最高浓度应符合现行国家职业卫生标准《工业企业设计卫生标准》GBZ 1 和《工作场所有害因素职业接触限值》GBZ 2 等有关规定;

　　2 辅助用房的室内空气参数应根据工艺及设备要求确定。

8.3 生产车间的供暖通风与空调

8.3.1 生产车间的通风方式应根据当地的气象条件、车间建筑形式、工艺布置及工艺设备具体情况确定；应遵循自然通风为主、机械通风为辅的原则。

8.3.2 生产车间的供暖通风设计应能将车间内的热湿空气及时排出，防止车间结露滴水。

8.3.3 生产车间排风设计应符合下列规定：

1 车间排风可分为机台局部排风及车间全面排风两部分；对散热、散湿量较大及散发有害气体的机台应采用局部排风，利用机台自然排气装置（排气罩、密闭罩）或局部机械排气设备单独排放，排风量应根据工艺设备提供的参数或罩面风速确定。生产车间的全面排风应利用车间的建筑特点进行自然排风，采用拔气井、排气筒或避风气楼等装置进行自然排风。

2 对严寒地区的印染车间、多层印染车间的中间层、有特殊要求的场合及不具备自然排风条件的印染车间均应设置机械排风系统。

3 对工艺设备有有害气体散发的车间，其排风量应保持车间负压。

8.3.4 生产车间的进风系统宜采用外墙低脚进风窗或门窗自然进风；当自然进风不能满足要求时，应设置机械送风系统；外墙低脚进风窗宜设有防虫网及风量调节装置。

8.3.5 机械送风可采用空气经空调室处理后送入车间。空调系统夏季可直接利用室外新风或经循环水蒸发冷却处理后送入车间；冬季对严寒、寒冷及夏热冬冷地区应设置空气加热装置，在散湿量大的场所宜增设局部热风加热装置。

8.3.6 生产车间内各工段夏季的通风量可按换气次数计算确定，其换气次数可按表8.3.6采用。

表 8.3.6　印染工厂生产车间内各工段换气次数(次/h)

工　　段	换 气 次 数
原布	3～5
烧毛	5～7
练漂	6～10
皂洗	6～10
卷染	12～15
轧染	6～10
印花	5～8
染化料调配、树脂整理、调配	＞12
整理、整装	4～6

注:1　次数按层高 4.5m 以下空间计算;

　　2　工段内热湿空气散发量大换气次数取上限。

8.3.7　车间空调应采用节能空调系统,当夏季使用蒸发降温空调方式已满足温湿度要求时,不应采用人工冷源,冬季应利用工艺回收余热。循环(蒸发)冷却水和送风系统卫生标准应符合现行国家标准《采暖空调系统水质标准》GB/T 29044 的有关规定。空气调节及送风系统的风速宜按表 8.3.7 确定,局部岗位送风口距地面高度宜为 2.0m～2.2m,每个岗位送风口的送风量可为 1500m³/h～2000m³/h。

表 8.3.7　空气调节及送风系统风速(m/s)

部　　位	常 用 风 速	最 大 风 速
新风进风口(窗)	2.5～5	6
回风口(窗)	2～4	4
总风道	5～9	10
支风道	4～7	8
送风口	3～6	≤7

8.3.8 通风设备、风道、风管及配件等应根据其所处的环境和输送的介质温度、腐蚀性等因素,采用防腐材料制作并采取相应的防火措施。

8.3.9 车间的通风和空调系统风管应采用不燃材料制作。接触腐蚀性气体的风管及柔性接管,可采用难燃材料制作。

8.3.10 寒冷及严寒地区印染工厂的值班室及办公室应设有供暖系统;印染车间应设有值班供暖系统,值班采暖室内温度不宜低于5℃。

8.3.11 供暖热媒宜采用高温热水,当厂区供热以工艺用蒸汽为主时,在不违反卫生、技术和节能要求的条件下可采用蒸汽作为供暖热媒。

8.4 辅助用房的供暖通风与空调

8.4.1 物理实验室应设有恒温恒湿空调,其温度湿度应按工艺要求确定。

8.4.2 染料称量间应设置机械通风,并应与相邻的房间保持相对负压。

8.4.3 气体烧毛机的刷毛箱应设有带连续清灰装置的除尘设施,除尘设备宜布置在单独房间内;烧毛机的气化室应为单独防爆房间,并应设有独立的机械通风装置,机械通风系统应采取安全防爆措施。

8.4.4 涂层胶调配间应设有机械通风系统,并与相邻房间保持相对负压。机械通风系统应采取安全防爆措施。

8.4.5 仓库宜设置通风系统,其通风量可按 3 次/h～5 次/h 换气次数设置。

8.4.6 用于有爆炸危险房间的通风系统,应有可靠的防静电接地措施。

9 电 气

9.1 一 般 规 定

9.1.1 电气设计应满足生产要求,应选用性能可靠、技术先进、节能环保和便于维护的电气产品。

9.1.2 电气设计应符合供配电系统安全可靠、经济合理的原则,并宜进行太阳能光伏发电系统及其他可再生能源应用。

9.2 供配电系统

9.2.1 印染工厂的普通用电负荷应为三级负荷,液氨整理工段中涉及安全生产的工艺设备用电应为二级负荷。印染工厂的消防设备用电负荷等级,应符合现行国家标准《建筑设计防火规范》GB 50016 的有关规定。

9.2.2 供电电压等级与供电回路数应按生产规模、性质和用电容量,并宜结合地区电网的供电条件确定。

9.2.3 低压配电系统应符合下列规定:

1 车间变电所宜安装 2 台变压器,单母线分段运行,两段低压母线间设母联开关;当只设 1 台变压器时,宜与就近的车间配电变电所设低压联络线作为应急备用;

2 车间变电所的低压配电系统应与工艺生产系统相适应,平行的生产流水线或互为备用的生产机组,宜由不同的(低压母线)回路配电;同一生产流水线的各用电设备宜由同一(低压母线)回路配电;

3 TN 系统接地型式的配电系统中,车间的单相负荷,应均匀地分配在三相线路中,应选用 D,yn11 结线组别的变压器;

4 为控制各类非线性用电设备所产生的谐波引起的电网电

压正弦波形畸变,宜在配变电所低压侧进线柜装设谐波监测仪表,应合理采取高次谐波的抑制和治理措施;

5 在采用电力电容器作无功补偿装置时,容量较大、负荷平稳且经常使用的用电设备的无功负荷宜采用就地补偿;补偿基本无功负荷的电力电容器组,宜在配电变电所内集中补偿;

6 低压配电系统设计应符合现行国家标准《低压配电设计规范》GB 50054 的有关规定。

9.2.4 变配电所设计应符合现行国家标准《20kV 及以下变电所设计规范》GB 50053 的有关规定。

9.2.5 车间负荷计算宜采用需要系数法,需要系数宜按表 9.2.5 的规定选用。

表 9.2.5　印染工厂主要工艺设备需要系数

设 备 名 称	需要系数 K_c	功率因数 $\cos\phi$
烧毛设备	0.50～0.70	0.75～0.80
练漂设备	0.65～0.70	0.70～0.75
染色设备	0.65～0.70	0.70～0.75
印花设备	0.60～0.70	0.70～0.75
整装设备	0.75～0.80	0.75～0.80
热定型设备	0.50～0.70	0.80～0.85
拉幅机	0.65～0.70	0.70～0.75
涂层设备	0.70～0.80	0.75～0.80

9.2.6 室内配电干线敷设方式宜采用电缆桥架明敷设,在有腐蚀和特别潮湿场所,所采用的电缆桥架,应根据腐蚀介质的不同采取相应的防腐措施;室外宜采用电缆沟或直接埋地敷设。有关配电线路的敷设方式与要求,应符合现行国家标准《低压配电设计规范》GB 50054 和《电力工程电缆设计规范》GB 50217 的有关规定。

9.2.7 爆炸危险环境电力装置的设计,应符合现行国家标准《爆炸危险环境电力装置设计规范》GB 50058 的有关规定。

9.3 照　　明

9.3.1　印染工厂车间宜采用混合照明,并应采用机台上的局部照明。

9.3.2　染色、印花等车间应根据识别颜色要求和场所特点,选用相对应显色指数的光源,并应选用节能型光源和灯具。

9.3.3　车间作业区内的一般照明照度均匀度,不应小于 0.7,而作业面邻近周围的照度均匀度不应小于 0.5。

9.3.4　混合照明中的一般照明,其照度值应按该等级混合照明照度值的 10%～15% 选取,且不应低于 75lx。

9.3.5　生产车间的照度计算宜采用点光源或线光源的点照度计算法和利用系数法。单位指标法宜适用于方案、初步设计阶段。

9.3.6　生产车间和辅助生产车间的照明标准不应低于表 9.3.6 的规定。

表 9.3.6　生产车间和辅助生产车间的照明标准值

名　　称	0.75m 水平面上最低照度值(lx)		显色指数 Ra	统一眩光指数 UGR
	混合照明	一般照明		
练漂车间	—	75	80	22
进布布面	150	—	80	22
出布布面	300	—	80	22
染色车间	—	75	80	22
进布布面	150	—	80	22
出布布面	500	—	80	22
印花车间	—	100	80	22
印花机进布布面	150	—	80	22
印花机出布布面	500	—	80	22
手工台板印花	300	150	80	22

续表 9.3.6

名　　称	0.75m 水平面上最低照度值(lx)		显色指数 Ra	统一眩光 指数 UGR
	混合照明	一般照明		
整装、整理车间	—	75	80	22
进布布面	150	—	80	22
出布布面	500	—	80	22
验布量布机	1000	—	80	22
验布台	750	—	80	22
浆料调配室	—	75	80	—
碱液回收站	—	75	40	—

注:1　设计照度值与照度标准值相比较,可有±10%的偏差;

　　2　统一眩光值是度量处于视觉环境中的照明装置发出的光对人眼引起不舒适主观反应的心理参量。

9.3.7　车间照明宜按工序分区设置照明配电箱,并宜采取沿窗间隔控制的方式。

9.3.8　车间内应根据照明场所的环境条件和使用特点,合理选用灯具。灯具的布置与安装应考虑安全与维护方便。爆炸危险环境照明灯具选型,应符合现行国家标准《爆炸危险环境电力装置设计规范》GB 50058 的有关规定。

9.3.9　印染工厂的照明设计应符合现行国家标准《建筑照明设计标准》GB 50034 的有关规定。

9.4　防雷和接地

9.4.1　印染工厂内的建筑物、构筑物的防雷分类及防雷措施,应符合现行国家标准《建筑物防雷设计规范》GB 50057 和《建筑物电子信息系统防雷技术规范》GB 50343 的有关规定。

9.4.2　厂区的低压配电系统的接地形式宜采用 TN－C－S 和 TN－S 系统。车间内应设置等电位联结装置,配电箱柜的 PE 端子、钢制电缆桥架、厂房钢柱及进出车间的金属管道等均应与等电位联结装置相连接。

9.4.3 当采用独接地装置时,低压系统中性点接地电阻值应大于 4Ω;重复接地电阻不应大于 10Ω;防静电接地电阻不应大于 100Ω,在易燃易爆区不宜大于 30Ω;当采用共用接地装置时,接地电阻应符合其中最小值的要求。

9.4.4 在生产加工、储运过程中应采取防静电接地措施。静电防护应符合现行国家标准《防止静电事故通用导则》GB 12158 的有关规定。

9.5 电气消防和报警

9.5.1 每座占地面积超过 $1000m^2$ 的坯布、成品仓库,应设火灾自动报警装置。

9.5.2 印染工厂其他需设置火灾自动报警系统的场所,应符合现行国家标准《建筑设计防火规范》GB 50016 和《纺织工程设计防火规范》GB 50565 的有关规定。

9.5.3 在使用煤气、天然气等可燃气体的烧毛工段、热定型工段,在使用甲苯、二甲基甲酰胺等散发爆炸性气体的涂层工段和调配间,应设置可燃气体检测报警系统。在使用液氨等可能散发爆炸性气体和有毒气体的场所,应设置可燃气体检测报警系统和有毒气体检测报警系统。

9.5.4 可燃气体检测报警系统设计和有毒气体检测报警系统设计,应符合现行国家标准《石油化工可燃气体和有毒气体检测报警设计规范》GB 50493 和《火灾自动报警系统设计规范》GB 50116 有关规定。

9.5.5 火灾自动报警系统设计和消防控制室设置,应符合现行国家标准《建筑设计防火规范》GB 50016 和《火灾自动报警系统设计规范》GB 50116 的有关规定。

9.5.6 车间内应设置供疏散用的应急照明。车间应急和疏散照明设置场所要求,应符合现行国家标准《建筑设计防火规范》GB 50016和《纺织工程防火设计规范》GB 50565 的有关规定。

9.5.7 建筑内消防应急照明和疏散指示标志灯可采用蓄电池作备用电源,其连续供电时间应符合现行国家标准《建筑设计防火规范》GB 50016 和《纺织工程设计防火规范》GB 50565 的有关规定。

10 动　力

10.1　一　般　规　定

10.1.1　工厂用热负荷应包括生产工艺、空调、供暖和生活用热。

10.1.2　印染工厂所需蒸汽热源，应根据所在区域的供热规划确定，宜使用热电厂供给的蒸汽。当大型印染工厂，用热负荷较稳定，通过分析比较，可采用热电联产方式。

10.1.3　锅炉房、换热机房和各热用户应进行能量计量。

10.1.4　热力管道与其他介质管道同一地沟敷设时应符合现行国家标准《锅炉房设计规范》GB 50041 的有关规定。

10.1.5　压缩空气管道、蒸汽管道和导热油管道中属于压力管道范围内的管道设计应按压力管道设计。

10.2　蒸汽供热系统

10.2.1　各用汽部门应提出用汽参数(温度、压力)及小时平均用汽量和小时最大用汽量。宜绘制主要设备、用热车间和全厂的热负荷曲线图。应按照生产、空调、供暖、生活和锅炉自用热负荷，计入同时使用系数和管网损失后，得出最大计算热负荷。

10.2.2　依据工厂最大计算热负荷、用汽参数及当地供热条件，应通过技术经济分析，确定采用热电厂集中供热、自建蒸汽锅炉房、热电联产等某一供热方案，方案应技术先进、安全适用、经济合理，符合节能和保护环境的要求。

10.2.3　当采用热电厂集中供热时，印染工厂应设置减压减温装置，经常运行的减压减温装置宜有 1 套备用，并应确保供热蒸汽参数符合生产、生活用汽要求。

10.2.4　锅炉房设计应根据全厂最大计算热负荷及近期发展需要

确定,并应符合现行国家标准《锅炉房设计规范》GB 50041 的有关规定。

10.2.5 印染工厂投资热电联产,应在设计之前进行可行性研究。

10.2.6 工厂热电站的建设应坚持"以热定电"的原则,并应根据热负荷的大小,结合电网对电力的需求情况,确定供热机组的类型、规格和运行方式。

10.2.7 室内外蒸汽供热管道应符合下列规定:

1 工厂生产用汽应在热力站集中控制。对各主要车间应单独敷设干管,并宜做到一台联合机一根支管。其他用汽少的车间或附房用汽点,可合并于附近的车间供汽系统。

2 管道设计流量,应根据热负荷的计算确定,热负荷应包括近期发展的需要量。

3 管道布置和敷设应符合下列规定:

1)厂区蒸汽管道的布置,应根据全厂建筑物布置的方向与位置、热负荷分布,并宜同其他管道综合考虑,合理设置管架及管道排列的层次;

2)架空蒸汽管道可采用低、中、高支架敷设;在不妨碍交通的地段宜采用低支架敷设,通过人行过道地段宜采用中支架敷设,在车辆通行地段应采用高支架敷设;

3)蒸汽管道可与重油管、压缩空气管、冷凝水管敷设在同一地沟内。

10.3 蒸汽凝结水回收和利用

10.3.1 用蒸汽间接加热而产生的凝结水应加以回收。凝结水回用到工艺热水时应满足工艺对水质的要求;凝结水的回收利用应符合现行国家标准《锅炉房设计规范》GB 50041 的有关规定。

10.3.2 生产高压和低压凝结水系统管道应分别敷设。空调、采暖凝结水管道应与生产凝结水管道分别敷设。

10.3.3 蒸汽凝结水的回收应根据不同的用汽特点和条件、管道敷设方式等全面分析后,采用闭式满管回水、重力自流回水、余压回水、开式水箱自流或机械泵回水等方式。

10.3.4 蒸汽凝结水的利用应按符合下列规定:

1 采用余压回水系统时,宜在凝结水管道中增设换热装置,回收热量,降低水温度,缩小管径;

2 凝结水箱上宜设二次蒸汽冷却器,用锅炉软化水冷凝二次蒸汽,吸收热量。

10.4 导热油供热系统

10.4.1 高温热源宜采用有机热载体锅炉,以导热油为载热体,利用热油循环泵强制导热油液相循环,将热能输送给用热设备。

10.4.2 有机热载体锅炉应根据工艺设备用热参数、热负荷量及当地提供的煤、油、气等燃料来选择,且不宜小于2台。有机热载体锅炉房设计,烟气余热应加以利用。

10.4.3 燃煤有机热载体锅炉房宜与燃煤蒸汽锅炉房布置在同一区域,宜合用辅助设施。

10.4.4 导热油供热系统设计应合理选用导热油在炉管中的流速、导热油炉进、出口油温的温差,应采取防止导热油氧化及防止油温过高的措施。

10.5 燃 气

10.5.1 印染工厂的燃气管道设计及通风要求均应符合现行国家标准《城镇燃气设计规范》GB 50028 及《工业企业煤气安全规程》GB 6222 中的有关规定。

10.5.2 燃气管道坡向凝水缸的坡度不宜小于0.003。

10.5.3 印染工厂进车间的燃气管道应架空敷设。

10.6 压缩空气

10.6.1 压缩空气站的设计容量应依据工艺提供的印染设备及仪

表用气压、用气量、用气质量要求，计入同时使用系数、管道系统漏损系数后计算确定。

10.6.2 印染工厂压缩空气站的设计应符合现行国家标准《压缩空气站设计规范》GB 50029 的有关规定。

11 仓 储

11.1 一般规定

11.1.1 各类物资的储备应符合保证生产、加快周转、合理储备的原则,在满足生产需要的前提下,合理确定仓库的面积。

11.1.2 仓库布置应方便生产、方便运输,宜靠近使用部门,减少搬运。

11.1.3 库内和库区货物的装卸运输,应考虑提高机械化程度。

11.2 坯布库、成品库

11.2.1 坯布库、成品库的建筑面积应满足生产、贮存的要求,坯布的贮存周期宜为 9d～12d,成品的贮存周期宜为 10d～15d。

11.2.2 仓库设备和工器具选用应符合下列规定:

    1 堆放布包的装卸设备可采用移动式堆包机或单梁悬挂式吊车;

    2 多层仓库垂直运输可采用电梯,也可采用电动葫芦、吊车等设备。

11.3 染化料库

11.3.1 染料贮存周期平均可按 6 个月计算,化工料可按 2 个月计算。

11.3.2 烧碱贮存宜以液碱为主,也可少量或短期使用固碱。烧碱贮存周期,当地供应可按 12d 计算,外地供应可按 18d～25d 计算。液碱及固碱可贮存在碱回收站。

11.3.3 液体化学品储罐区周围应建有围堰,围堰高度满足应急要求。

11.4 危险化学品库

11.4.1 危险品库内应分隔成若干间,将各类物品分开堆放。

11.4.2 危险品库应防止太阳直晒,库内应干燥、阴凉、通风,消防设施设置应符合现行国家标准《建筑设计防火规范》GB 50016 的有关规定。

11.4.3 硫酸、盐酸、次氯酸钠、双氧水贮存周期,当地供应按 12d 计算,外地供应可按 25d 计算,应储存于通风良好的棚内。

11.5 机 物 料 库

11.5.1 机物料库内各种小件物品的贮存可采用层式货架,人工存取的货架高度不宜超过 2.5m。

11.5.2 机物料库内应隔出 60m² ~ 100m² 作为橡胶辊贮存室。

11.5.3 其他如劳动保护、文具用品等物品也应有一定的贮存量,可根据工厂规模大小,在综合仓库内增设若干面积贮存。

附录A 工艺流程

A.1 纯棉织物主要工艺流程

A.1.1 本光漂白布的工艺流程宜符合下列规定：

坯布检验→翻布打印→缝头→烧毛→退浆→煮练→漂白→轧烘→上浆加白→拉幅→轧光→检码→成品分等→装潢成件。

A.1.2 漂白府绸的工艺流程宜符合下列规定：

坯布检验→翻布打印→缝头→烧毛→退浆→煮练→漂白→丝光→复漂→加白→拉幅→轧光→防缩→检码→成品分等→装潢成件。

A.1.3 染色布的工艺流程宜符合下列规定：

坯布检验→翻布打印→缝头→烧毛→退浆→煮练→漂白→丝光→染色→柔软处理→(轧光)→预缩→检码→成品分等→装潢成件。

A.1.4 印花布的工艺流程宜符合下列规定：

坯布检验→翻布打印→缝头→烧毛→退浆→煮练→漂白→丝光→印花→蒸化→水洗→(上蓝加白)拉幅→(轧光)→检码→成品分等→装潢成件。

A.2 涤棉织物主要工艺流程

A.2.1 漂白涤棉布的工艺流程宜符合下列规定：

坯布检验→翻布打印→缝头→烧毛→退浆→煮练→氧漂→丝光→涤加白定型→氧漂棉加白→烘干→上柔软剂拉幅或树脂整理→轧光→预缩→检码→成品分等→装潢成件。

A.2.2 染色涤棉布的工艺流程宜符合下列规定：

坯布检验→翻布打印→缝头→烧毛→退浆→煮练→氧漂→丝

光→定型→染色→加软拉幅或树脂整理→预缩→检码→成品分等→装潢成件。

A.2.3 印花涤棉布的工艺流程宜符合下列规定：

坯布检验→翻布打印→缝头→烧毛→平幅退浆→煮练→氧漂→定型兼涤加白→丝光→印花→焙烘→水洗→定型→预缩→检码→成品分等→装潢成件。

A.3 化纤织物主要工艺流程

A.3.1 尼丝纺的工艺流程宜符合下列规定：

坯绸准备 ···▶（预定型）→精练···▶染色···▶烘燥→

印花→蒸化→水洗

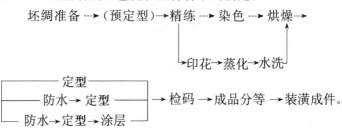

A.3.2 涤纶低弹织物的工艺流程宜符合下列规定：

松式烘燥→定型→（轧纹）→检码→成品分等→装潢成件。

A.3.3 涤纶长丝织物的工艺流程宜符合下列规定：

坯布准备→精练→烘燥→（预定型）→

检码→成品分等→装潢成件。

A.3.4 涤纶仿真丝绸的工艺流程宜符合下列规定：

坯布准备→打卷→精练(起皱)→烘燥定型→碱减量→

水洗 ⌈— 液流染色 → 退捻开幅 ⌉→烘燥→定型→检码→
　　 ⌊— 烘燥→印花→蒸化→水洗 ⌋

成品分等→装潢成件。

A.3.5 高细旦织物的工艺流程宜符合下列规定：

坯布准备→打卷→精练→烘燥定型→喷射溢流染色→退捻开幅→烘燥→热定型→(印花→蒸化→水洗)→磨毛→检码→成品分等→装潢成件。

A.4　短流程工艺

A.4.1　前处理冷轧堆工艺宜符合下列工艺流程：

坯布检验→翻布打印→缝头→烧毛→轧冷堆液→堆置→水洗→丝光→染色→后整理→防缩→检码→成品分等→装潢成件。

A.4.2　煮练酶工艺宜符合下列工艺流程：

坯布检验→翻布打印→缝头→烧毛→煮练酶堆置→漂白→丝光→染色→后整理→防缩→检码→成品分等→装潢成件。

A.4.3　冷堆染色工艺宜符合下列工艺流程：

坯布检验→翻布打印→缝头→烧毛→退浆→煮练→漂白→丝光→冷堆染色→水洗→后整理→防缩→检码→成品分等→装潢成件。

A.5　其他工艺流程

A.5.1　粘胶织物的工艺流程宜符合下列规定：

坯布检验→翻布打印→缝头→烧毛→退浆→煮练→漂白→染色→柔软处理→(轧光)→预缩→检码→成品分等→装潢成件。

A.5.2　弹性织物的工艺流程宜符合下列规定：

坯布检验→翻布打印→缝头→烧毛→退浆→煮练→漂白→丝光→(预定型)→染色→柔软定型→预缩→检码→成品分等→装潢

成件。

A.5.3 木浆纤维/天丝织物的工艺流程宜符合下列规定：

坯布准备→精练→(碱处理)→烧毛→初级原纤化→酶洗→烘干拉幅→染色→二次原纤化→拉幅柔软整理→防缩整理→检码→成品分等→装潢成件。

A.5.4 蜡染工艺流程宜符合下列规定：

坯布检验→翻布、缝头→烧毛→冷堆→煮漂→丝光→拉幅打卷→印蜡→IBN(靛蓝、彩底)→烫蜡脱蜡→拉幅打卷→印花→蒸化→水洗→拉幅上浆→(轧光)→检码→成品分等→装潢成件。

A.5.5 涂料印花的工艺流程宜符合下列规定：

前处理→涂料印花→定型→码尺→成品检验→包装。

A.5.6 数码喷墨印花的工艺流程宜符合下列规定：

前处理→数码印花→蒸化→水洗烘干→定型→码尺→成品检验→包装。

附录 B 印染主机设备生产能力

B.0.1 印染主机设备生产能力可按表 B.0.1 选用。

表 B.0.1 印染主机设备生产能力

序号	设备名称	机械车速 （m/min）	工艺设计车速 （m/min）	设计年产量 （万 m/年）	备注
1	气体烧毛机	45～150	90～100	3000	—
2	平幅酶退浆机	50～110	50～100	1500～2500	—
3	平幅碱退浆机	50～110	50～100	1500～2500	—
4	平幅煮练机	50～1100	50～100	1500～2500	—
5	平幅氧漂机	50～110	50～100	1500～2500	—
6	平幅氯漂机	50～110	50～100	1500～2500	—
7	平幅退煮漂联合机	50～110	50～100	1500～2500	—
8	轧水烘燥机	35～70	50～60	1500～1800	—
9	布铗丝光机	35～110	50～100	1500	—
10	高速布铗丝光联合机	100～150	60～100	2400～3000	—
11	直辊丝光联合机	50～110	40～50	1200	—
12	高速直辊布铗丝光机	20～100	65～100	1900～2500	—
13	热定型机	15～100	40～60	1500	—
14	卷染机	—	660m/台·班	60	—
15	高温高压卷染机	—	1000m/台·班	80	—
16	卷放轴两用机	60～70	50	1500	—
17	热熔染色机	30～70	45～50	1000～1200	—
18	连续轧染机	35～70	45～50	1500	—

序号	设备名称	机械车速 （m/min）	工艺设计车速 （m/min）	设计年产量 （万 m/年）	备注
19	热风打底机	35～70	45～50	1500	—
20	圆网印花机	6～100	40～60	600	—
21	平网印花机	6～20	10～15	200	—
22	转移印花机	4～20	15	200	—
23	蒸化机	10～50	30～40	1000	单头
24	松式绳状皂洗机	35～70	50	1500	—
25	平幅显色皂洗机	35～70	50	1500	—
26	焙烘机	35～70	50	1500	—
27	热风拉幅机	35～70	50～60	1500	—
28	树脂整理机	35～70	40～50	1200～1500	—
29	防缩整理联合机	20～80	30～40	1000～1200	—
30	三辊轧花机	25～70	50	1500	—
31	轧花机	2.5～15	10	300	—
32	验布折布联合机	—	40	800～1000	—
33	验卷联合机	—	40	800～1000	—
34	对折卷板机	—	40	1200	—
35	电动打包机	—	24 包/h	—	—
36	液压打包机	—	24 包/h	—	—

注：设备型号中除有注明幅宽外，其余均指 1800mm 幅宽。设计年产量按年生产天数 306d 计算。

B.0.2 设备生产能力应根据供货商提供的技术参数进行计算。

附录 C　主要印染设备参考用水量

C.0.1 印染设备用水量应根据供货商提供的设备技术参数进行计算。

C.0.2 当未确定印染设备供货商时，可按表 C.0.2 选用设备用水量。

表 C.0.2　主要印染设备参考用水量

序号	设备名称	用水量(t/h)		
		工业水	软化水	合计
1	气体烧毛机	—	3.0	3.0
2	平幅酶退浆机	10.5	—	10.5
3	平幅碱退浆机	10.5	—	10.5
4	平幅煮练机	10.5	—	10.5
5	平幅退煮机	21.0	—	21.0
6	平幅氧漂机	12.5	0.5	13.0
7	平幅氯漂机	10.5	—	10.5
8	平幅退煮漂联合机	25.0		25.0
9	轧水烘燥机	1.5	—	1.5
10	布铗丝光机	10.5		10.5
11	高速直辊布铗丝光机	13.5		13.5
12	热定型机	1.0		1.0
13	卷染机	2.0		2.0
14	高温高压卷染机	2.0		2.0
15	卷轴放轴两用机	1.5	—	1.5

序号	设 备 名 称	用水量(t/h)		
		工业水	软化水	合计
16	热熔染色机	11	16.5	27.5
17	连续轧染机	11	14	25
18	圆网印花机	—	—	10
19	平网印花机	—	—	8
20	蒸化机	—	1.0	1.0
21	松式绳状皂洗机	14	10	24
22	热风拉幅机	—	1.0	1.0
23	防缩整理联合机	—	0.5	0.5
24	碱回收站: 　1 台丝光机 　2～3 台丝光机 　4～5 台丝光机	—	26 52～78 101～130	—
25	调浆间: 　2 台印花机 　3 台印花机 　4 台印花机	—	50t/d 70t/d 90t/d	—

注:用水量按 1800mm 幅宽设备计算,其余幅宽设备做相应调整。

附录 D 主要印染设备参考用汽量

D.0.1 印染设备用汽量应根据供货商提供的设备用汽量技术指标进行确定。

D.0.2 当未确定印染设备供货商时,可按表 D.0.2 选用设备用汽量。

表 D.0.2 主要印染设备参考用汽量

序号	设 备 名 称	用汽量(kg/h)		
		直接蒸汽	间接蒸汽	合计
1	气体烧毛机	150	—	150
2	平幅酶退浆机	520	—	520
3	平幅碱退浆机	1300	—	1300
4	平幅煮练机	1950	—	1950
5	平幅退煮机	2600	—	2600
6	平幅氧漂机	1300	—	1300
7	平幅氯漂机	720	—	720
8	平幅退煮漂联合机	3250	—	3250
9	轧水烘燥机	—	600	600
10	布铗丝光机	1040	—	1040
11	高速直辊布铗丝光机	1360	—	1360
12	卷染机	135	30	165
13	高温高压卷染机	200	130	330
14	卷轴放轴两用机	60	—	60
15	热熔染色机	1020	1820	2840

序号	设备名称	用汽量(kg/h)		
		直接蒸汽	间接蒸汽	合计
16	连续轧染机	1050	1220	2270
17	圆网印花机	—	400	400
18	平网印花机	—	200	200
19	蒸化机	800	—	800
20	松式绳状皂洗机	1000	—	1000
21	热风拉幅机	—	720	720
22	树脂整理机	300	1020	1320
23	防缩整理联合机	—	320	320
24	三辊轧光机	—	70	70
25	轧花机	—	100	100
26	碱液回收站: 　1台丝光机 　2台～3台丝光机 　4台～5台丝光机	770～1540 2310～3080 3850	— 	—
27	调浆间: 　1台印花机 　2台印花机 　3台印花机	100～150 150～200 200～250	— 	—

注:用汽量按1800mm幅宽设备计算,其余幅宽设备做相应调整。

附录 E 印染设备需要高温热源值

E.0.1 印染设备需要高温热源的数量应根据供货商提供的技术参数进行确定。

E.0.2 当未确定印染设备供货商时，可按表 E.0.2 选用设备的高温热源的数量。

表 E.0.2 印染设备需要高温热源值

序号	设 备 名 称	需要热值[MJ/h(10^4kcal/h)]
1	气体烧毛机	732(17.5)
2	双层气体烧毛机	1464(35.0)
3	热风打底机	1724(41.2)
4	长环蒸化机	1046(25.0)
5	焙烘机	1088(26.0)
6	树脂整理机	2761(66.0)

附录 F 印染设备各轧车压缩空气用量

F.0.1 各轧车压缩空气用量应根据供货商提供的技术参数进行确定。

F.0.2 当未确定印染设备供货商时,各轧车的压缩空气用量可按表 F.0.2 选用。

表 F.0.2 印染设备各轧车压缩空气用量

序号	设 备 名 称	用气量(m³/min)
1	均匀轧车	0.05
2	二辊立式轧车	0.06
3	二辊卧式轧车	0.08
4	三辊立式轧车	0.07
5	三辊卧式轧车	0.09
6	中小辊轧车	0.06
7	小轧车	0.04

本规范用词说明

1　为便于在执行本规范条文时区别对待,对要求严格程度不同的用词说明如下:

　　1)表示很严格,非这样做不可的:

　　　正面词采用"必须",反面词采用"严禁";

　　2)表示严格,在正常情况下均应这样做的:

　　　正面词采用"应",反面词采用"不应"或"不得";

　　3)表示允许稍有选择,在条件许可时首先应这样做的:

　　　正面词采用"宜",反面词采用"不宜";

　　4)表示有选择,在一定条件下可以这样做的,采用"可"。

2　条文中指明应按其他有关标准执行的写法为:"应符合……的规定"或"应按……执行"。

引用标准名录

《砌体结构设计规范》GB 50003

《建筑结构荷载规范》GB 50009

《混凝土结构设计规范》GB 50010

《建筑抗震设计规范》GB 50011

《室外排水设计规范》GB 50014

《建筑给水排水设计规范》GB 50015

《建筑设计防火规范》GB 50016

《工业建筑供暖通风与空气调节设计规范》GB 50019

《厂矿道路设计规范》GBJ 22

《城镇燃气设计规范》GB 50028

《压缩空气站设计规范》GB 50029

《建筑采光设计标准》GB 50033

《建筑照明设计标准》GB 50034

《建筑地面设计规范》GB 50037

《锅炉房设计规范》GB 50041

《工业建筑防腐蚀设计规范》GB 50046

《20kV 及以下变电所设计规范》GB 50053

《低压配电设计规范》GB 50054

《建筑物防雷设计规范》GB 50057

《爆炸危险环境电力装置设计规范》GB 50058

《自动喷水灭火系统设计规范》GB 50084

《工业企业噪声控制设计规范》GB 50087

《火灾自动报警系统设计规范》GB 50116

《建筑灭火器配置设计规范》GB 50140

《工业企业总平面设计规范》GB 50187

《电力工程电缆设计规范》GB 50217

《建筑物电子信息系统防雷技术规范》GB 50343

《纺织工业企业环境保护设计规范》GB 50425

《混凝土结构耐久性设计规范》GB/T 50476

《石油化工可燃气体和有毒气体检测报警设计规范》GB 50493

《民用建筑节水设计标准》GB 50555

《纺织工程设计防火规范》GB 50565

《消防给水及消火栓系统技术规范》GB 50974

《纺织染整工业水污染物排放标准》GB 4287

《工业企业煤气安全规程》GB 6222

《防止静电事故通用导则》GB 12158

《工业企业厂界环境噪声排放标准》GB 12348

《采暖空调系统水质标准》GB/T 29044

《工业企业设计卫生标准》GBZ 1

《工作场所有害因素职业接触限值》GBZ 2

《纺织染整工业废水治理工程技术规范》HJ 471

《锅炉节能技术监督管理规程》TSG G0002

中华人民共和国国家标准

印染工厂设计规范

GB 50426-2016

条 文 说 明

修 订 说 明

　　《印染工厂设计规范》GB 50426—2016，经住房城乡建设部 2016 年 10 月 25 日以第 1344 号公告批准发布。

　　本规范是在《印染工厂设计规范》GB 50426—2007 的基础上修订而成。上一版的主编单位是浙江省轻纺建筑设计院（即浙江省省直建筑设计院），参编单位为山东省纺织设计院、江苏省纺织工业研究院有限公司、安徽省纺织工业设计院，主要起草人是方跃、高学忠、陈建波、包家镛、陈青佳、蒋乃炯、胡雨前、余植福、连振顺、应康达、陈心耿、邓军、时垓、吴兵。

　　本规范在修订过程中，修订组进行了广泛的调查研究，总结了我国印染工厂建设和设计的实践经验及技术成果，根据我国现行的法规和制度，并在广泛征求意见的基础上，最后经审查定稿。

　　为了便于广大设计、施工、科研、学校等单位有关人员在使用本规范时能正确理解和执行条文规定，《印染工厂设计规范》编制组按章节条顺序编制了本规范的条文说明，按条文规定的目的、依据以及执行中需要注意的有关事项进行了说明，还着重对强制性条文强制性理由作了解释。但是本条文说明不具备与规范正文同等法律效力，仅供使用者作为理解和把握规范规定的参考。

目 次

1 总 则

1.0.1 本条为制定本规范的目的。

1.0.2 本条为本规范的适用范围。根据印染行业的特殊工艺分类，明确本规范适用于棉、化纤及混纺机织物连续式和间歇式印染工厂设计，本规范不适用丝绸印染、针织印染、毛纺印染等工厂的设计及为印染工厂服务的公用工程设施和办公、生活设施的设计。

1.0.3 同时应满足国家和地方有关环保要求的标准和法规。

1.0.5 印染工厂设计涉及国家有关政策、法规和标准、规范，故本条规定在印染工厂设计中除执行本规范外，尚应符合现行国家标准《纺织工程设计防火规范》GB 50565、《纺织工业企业环境保护设计规范》GB 50425、《纺织工业企业职业安全卫生设计规范》GB 50477 等防火、计量、劳动安全卫生、环境保护标准、规范及各专业相关的法规。

3 工 艺 设 计

3.1 一 般 规 定

3.1.2 不同的工艺流程,就会选择不同的设备配置,近几年印染设备技术更新发展较快,特别是节水、节能和后整理新技术,需要留有一定的场地和空间,宜留有合理发展的可能。

3.2 工 艺 流 程

3.2.1～3.2.3 印染行业是纺织工业的加工行业,各种纺织品的使用要求不尽相同,印染加工的工艺选择性很大,如选择先进、合理、可靠的工艺流程,可以收到优质、高效、节能、低成本、少污染的效果。在工厂设计时既要符合主要品种的工艺流程,也要考虑能生产其他品种的需要,满足工厂近期生产和远期规划的要求,才能使设计的工厂取得较好的经济效益。

目前印染行业节能减排形势严峻,采用清洁生产技术工艺流程势在必行,因此,工艺流程中增加了小浴比、数码印花和涂料印花等清洁生产工艺技术。

3.3 设 备 选 用

3.3.1 在选用的设备应用与设计规模相适应,具有设备连续化和机台高效率,操作和维护保养方便,能确保产品质量,降低劳动强度,提高劳动生产率,减少设备配台,设备价格合理,能节省基建费用,染化料、水、电、汽单耗低,能降低成本,减少环境污染,确保安全生产。在工厂设计中应尽量采用技术上成熟的、经过鉴定的国产新颖印染设备。对少量必须引进的关键设备,也要考虑与国内技贸结合合作生产的条件,以节约外汇和增强我国印染设备制造技术水平的提高。

3.3.4 自动调浆系统目前投入较大,同时对系统设备的操作要求很高,建议配有两台印花机及以上企业装备自动调浆系统。

3.7 生产辅助设施

3.7.2 自动调浆系统能准确控制减小工艺配方的关键参数,保证印花调浆配方的准确性和工艺配方的重现性,实现印花调浆过程残浆完全回用,减少过程浪费,提高生产质量和生产效率,减轻劳动强度,改善作业环境,实现清洁生产。

3.7.5 印染自动配料技术已有了实质性的进展,染整厂自动化生产、印染设备在线检测等都进入了"数字化"时代。采用自动加料系统技术改造传统的印染生产加料工艺是印染行业的发展趋势。运用自动控制技术和计算机网络信息技术,提高产品质量,加快产品更新周期,可以更快地缩短我国印染行业与国际先进水平的差距。

3.8 车间运输

3.8.2 堆布车根据产品幅宽可分别选用侧面有护板的宽幅或窄幅堆布车,车子可采用一次成型的高强度工程塑料。

4 总 图 运 输

4.1 一 般 规 定

4.1.1 印染工厂总图运输设计过程中出现的各种矛盾应采取多种方法进行协调,加以解决,无论采用何种方法,都应方便生产,并节约用地、节省投资、节能环保。

4.1.2 印染工厂的设计和建设不应搞"大而全"、"小而全",应充分考虑专业化和社会化的原则,尽量与地方统一布局,以节约投资,提高经济效益。

4.1.3 印染工厂的生产车间组合成联合厂房已有很多实例,单层锯齿形的练漂、染色车间与多层印花车间并建,或通过内天井连接,以达到节约用地、生产流程便捷的目的。为了严格土地管理,厂前区行政办公及生活服务设施用地面积占项目总用地面积百分比必须满足《工业项目建设用地控制指标》的规定。

4.2 建(构)筑物布置

4.2.1 本条是针对练漂、染色、印花车间平面布置提出应注意的事项。

1 锯齿形厂房一般均为锯齿朝北方位,阳光不会直接射入车间,采光均匀;但练漂、染色车间部分设备蒸汽散逸,湿度大,在冬季气温较低地区的练漂、染色车间北向锯齿厂房内积雾,滴水现象严重,甚至有车间内伸手不见五指的情况。部分地区采取锯齿朝南的方位,结合工艺、空调、建筑等有关措施较好地解决了冬季积雾、滴水等问题。如哈尔滨市某纺织印染厂,采用南向锯齿形结构厂房,冬季阳光能射入车间内,对减少车间内滴水及天窗结冰现象有明显效果。

2 气楼式厂房利用侧向天然采光,气楼两侧天窗能通风排气、排雾,一般情况下应选择南北朝向。

3、4 针对染整车间产生雾气,易滴水,平面布局应布置为有利自然通风,能散发有害气体的体形。

4.2.2 本条是对印染工厂自建锅炉房布置提出要求,锅炉房位置的选择,直接影响到供热系统的投资、运行、环境保护、安全防火等诸因素。

4.2.4 污水处理站产生废气对人体有一定危害性,在选定总图位置时不仅要考虑本项目的合理性,还应顾及四邻周边影响,对生活服务区的影响更应引起重视。

4.3 道 路 运 输

4.3.3 我国已广泛采用运输综合机械化设备,如集装箱运输,应考虑能通行集装箱运输车的道路转弯半径、停车场地等。常用集装箱货柜规格长度为 6.0m 和 12.0m,宽度为 2.4m,高度为 2.5m。

4.4 竖 向 设 计

4.4.1 防洪与排除雨水是竖向布置的重要内容之一。应根据有关标准合理确定场地设计标高和场地排水坡度。

4.4.2 本条对竖向布置方式和设计标高选择提出要求:

1 竖向设计选择的条件,主要以地形坡度及复杂程度而定。印染工厂主厂房占地面积较大,且厂区内建筑密度较高,厂内外均为水平运输方式,故宜采用平坡式。

2 为满足车辆运输要求并防止厂内积水,做此规定。

4 厂房室内外高差根据大多数工厂实例一般均为 0.15m。

4.5 厂 区 管 线

4.5.1 本条规定管线敷设方式应按照场地条件、生产工艺特点,经过综合比较确定,力求达到经济、合理、安全生产的目的。

4.5.4 地下管线、管沟不应布置在建(构)筑物的基础压力影响范围以内。在特殊情况下,地下管线必须紧靠基础时,也应保持管底与基础底面平。

4.6 厂区绿化

4.6.1 厂区绿化布置应根据生产特点和各地段实际需要进行,应尽量利用当地的树种、花卉等植物绿化环境,不应盲目追求花园式工厂而铺张浪费。

4.7 主要技术经济指标

4.7.1 总平面布置中的主要技术经济指标是工程建设从计划、规划到施工、管理各阶段技术文件的重要组成部分,其中建筑系数是关键性指标,指标各系数值尚应符合当地规划部门提出的要求。

4.7.2 分期建设是指可行性研究报告明确规定的印染工厂建设要求。

5 建 筑

5.1 一 般 规 定

5.1.1 印染工厂练漂、染色、印花车间生产过程中散发大量湿热气体,并含有腐蚀性介质,因此建筑设计必须根据不同地区特点,重点解决车间内部排雾、防结露、防腐蚀等问题。

5.1.6 建筑设计应本着"技术先进、经济合理"的原则,结合具体工程的规模、投资、所在地区的施工水平等因素综合考虑。

5.2 生 产 厂 房

5.2.1 生产车间的建筑形式近年来发展变化很大,由于传统的锯齿形厂房造价高、工期长,已逐渐被单梁锯齿形厂房、气楼式单层厂房、气楼带排气井单层厂房代替,选用中主要应围绕解决印染工厂的排雾、防结露等问题综合考虑。

5.2.2 一般小型印染工厂平面布置可以避免四周设置附房,大、中型厂则难以做到,本条提出内天井是解决通风、排气较好的方案,工程实践中已有很多实例,特别是南方地区更应重视。

5.2.3 生产车间高度选定的主要依据:

(1)印染设备的安装高度要求。

(2)部分设备因运转、安装、检修的需要,在屋面或楼面下设置电动吊车,应满足吊装设备时有足够的空间。

(3)应满足车间通风和采光的要求。

5.3 建筑防火、防爆

5.3.1 烧毛间的烧毛机属明火作业,但根据现行国家标准《纺织工程设计防火规范》GB 50565 的规定,其火灾危险性分类为丙类。

厂房设计中烧毛间附属于丙类生产车间内,应与相邻车间分隔开。调研中有的工厂未分隔,在烧毛间周围及上空均被油污气体沾污,对车间的防火、通风、采光均不利。

5.3.2 本条为强制性条文。涂层车间、气相整理车间生产的火灾危险性为甲类,因此必须采用防火墙分隔为独立工段。涂层车间的溶剂调配间使用的溶剂为甲类物品,且易燃易爆,必须设置通风设施;为防止爆炸对相邻车间的影响,应靠外墙布置,且与相邻车间采用防爆墙分隔。为降低爆炸危害,对外应设有泄压的门窗或轻型泄压屋顶。

5.4 生产辅助用房

5.4.2、5.4.3 染化料调配间有各种化学品配制的溶液、染液、浆液等,调配过程中会散发有毒气体。印花调浆间主要为染料调制色浆,相应配备染化料储存室、称料室等,其调制过程中会散发有害气体及液体沾污墙面、地面,因此,应对这些部位采取通风排气及耐腐蚀措施。

5.4.5 本条第1款～第3款为强制性条款。由于汽油为甲类物品,气化后输送距离不能过长,因此应设置在烧毛机附近。汽油汽化室生产的火灾危险性为甲类且易燃易爆,为防止爆炸对相邻车间的影响,应与相邻车间采用防爆墙分隔。为降低爆炸危害,其泄压设施应采用易于泄压的门、窗。条文中提出门斗方式是根据多年来设计实践经验提出的措施,设计中应引起高度重视。

5.4.6 碱回收站有较强的腐蚀性介质作用,与车间合建不利于环境保护,故提出宜独立设置。

5.5 生产厂房主要建筑构造

5.5.1 本条对厂房屋面设计做了规定。

1 印染工厂的屋面类型比较多,长期以来选用锯齿形结构厂房较普遍,为解决厂房排雾、防结露,南方地区发展为带排气井的锯齿形结构厂房、气楼式厂房、气楼式带排气井厂房,近年来也有气楼式两侧带挡风板形式的厂房,并发展到采用轻钢结构形式。如何选择合适的屋面形式,应因地制宜而定。

2 印染工厂的屋面坡度,决定于生产车间的性质,如潮湿性生产车间坡度宜大,便于凝结水顺坡流到集水沟,否则易在中部下滴影响产品质量。根据实践经验,屋面坡度1:2.5能使凝结水顺坡流到集水沟。干燥性生产车间屋面坡度可按正常要求选用。轻钢屋盖本规范提出屋面排水坡度不宜小于5%,是根据多年来实践及已建成工厂调研核实,大跨度轻钢屋盖,当压型钢板搭接方式有可靠防水措施时,该坡度是适用的。锯齿式屋面天沟排水坡不小于0.5%,主要针对大面积厂房,天沟长度较长,又采用外排水时的补充规定。

3 本款针对多年来经验教训制定,有些建设单位片面节省投资,取消隔汽层后会带来不良后果,对严寒地区的屋面构造应有防结露措施,也是针对调研中在北方地区生产车间屋面保温做法过于简陋造成凝结水下滴,影响产品质量。

4 轻钢屋盖压型钢板材质优劣、板材厚度与使用时间长短密切相关,特别对有腐蚀性气体散发的车间,选用优质钢材更显重要。

5.5.2 生产厂房的墙体材料为了保护耕地、节约能源、推动墙体改革,应积极推广应用新型墙体材料。

5.5.3 本条对印染工厂的地面、楼面设计提出要求。

1 印染工厂的湿加工车间属多水车间,常年有水、染液、化学溶液波及楼地面,平时需经常冲洗,因此保持楼地面一定的排水坡度显得十分重要。

2 当印染设备布置在楼层时,楼面排水一是做排水沟,但这种做法室内不整洁、结构处理较麻烦、排水沟过框架梁需预埋管道、排水不畅;二是在设备下部设集水盘,通过排水管排出室外,该做法室内整洁、结构简单、排水通畅。

5.5.5 本条对采光窗及天窗设计做出了规定。

印染工厂的采光窗及天窗因所处位置受腐蚀性介质作用,不宜采用钢窗及铝合金窗,调研中发现很多企业使用的钢窗已被腐蚀,不能灵活开启,铝合金窗受酸性介质腐蚀,型材已被腐蚀穿孔,因此宜采用塑钢窗。锯齿形厂房的天窗长期以来采用钢筋混凝土天窗框,但施工麻烦、自重大,可用塑钢窗或玻璃钢窗替代。

5.5.6 本条对印染工厂排气井设计做出了规定。

印染工厂广泛采用排气井,长期实践经验及调研后证实采用无机不燃玻璃钢制作,自重轻、使用耐久,效果较好。

5.5.7 本条通过调研发现有些工厂气楼两侧挡风板采用压型钢板,檩条采用角钢,几年后腐蚀程度十分严重。

6 结 构

6.1 一 般 规 定

6.1.1 印染工厂的结构设计首先应满足工艺生产的需要,并切实考虑建厂地区的具体条件,同时要符合现行国家有关标准、规范、规程的要求。

6.1.3 因缺乏可靠的数据和资料,本规范的适用范围中,考虑到单层带排气井的装配式门形架承重锯齿排架结构中双梁是通过焊接与牛腿柱相连,很难形成刚接属于铰接连接,只有通过天沟板上后浇混凝土层采取有效构造措施保证天沟板与风道双梁形成刚接,才能使双梁和风道板形成的不是机动体系,确保整体稳定。随着国家对抗震和人民生命安全要求的不断提高,考虑将此结构形式限定抗震设防烈度为 6 度和 6 度以下地区应用。对带排气井的单层钢筋混凝土锯齿形结构仍保持原纺织工业部标准《印染工业企业设计技术规定》FJJ 103 的规定,适用于抗震设防烈度为 7 度和 7 度以下地区。

6.1.4 印染工厂的练漂、染色等湿热处理车间使用的染化料和蒸汽加热,在生产过程中,散发有害气体和带有酸、碱等腐蚀性介质的热雾气,车间内湿度大、温度高,生产废水中带有酸、碱性,设计时应充分考虑这些不利因素,根据生产过程中介质的腐蚀性、环境条件、管理水平、维护条件等因地制宜,区别对待,综合考虑防腐蚀措施。

6.2 结 构 造 型

6.2.1 简述了印染厂房结构选型时应考虑的基本原则。

1 印染厂的生产加工过程比较复杂,不但加工工序长,而且加工过程中既有物理性变化,又有化学性变化,车间内腐蚀性介质和有害气体多、温度高、湿度大、雾气多,生产车间均应有一定的采光、排雾气、通风的功能要求,以满足正常印染生产的需要。

2 印染厂在生产过程中产生大量雾气,极易在室内屋顶结露形成滴水现象,厂址所处地域位置不同,气象条件各异,结露的情况也有较大区别,结构形式的选用必须考虑此类因素。

6.2.2 印染厂的练漂、染色车间在生产过程中会产生大量湿热雾气,很容易在屋顶及墙面形成滴水,因此在结构选型时应选用带排气功能的结构形式以利排湿气。

6.2.3 印染厂中的练漂、染色车间由于在生产过程中会散发大量热量和湿气并伴随产生大量腐蚀性介质和有害气体(如烧毛机烧毛产生大量一氧化碳气体和粉尘,调制次氯酸钠漂白液和织物漂白时散发出氯气),均会对建筑结构有较强的腐蚀作用,钢筋混凝土结构有较强的耐腐蚀性能,而轻钢结构在湿热状态下对防腐要求较高,在练漂、染色车间多数钢结构厂房均发现主钢梁有不同程度的锈蚀现象,有些已严重影响主体结构的耐久性。而印染厂的印花、整理、整装车间由于室内比较干燥,采用轻钢结构还是可以的。

6.2.4 带排气井的钢筋混凝土锯齿形厂房,根据几十年的实际使用证明,采用该体系确实能较有效地排雾气和防滴水,具有较好的适用性。

1 带排气井的三角架承重锯齿形排架结构,经过调研后发现近几年该体系由于工程造价高,设计施工麻烦,已较少使用,但因其满足工艺要求,采光、排气、防滴水效果较好,有些地方仍在采用。

1)根据工艺要求跨度 12.0m 一般每跨可排窄幅机器两排。而宽幅机器并列两排布置一般需 13.0m～14.0m 跨度,特宽幅机器并列两排布置一般需 16.0m～18.0m 跨度,而对于锯齿形厂房跨度在 18.0m 以内仍可采用普通钢筋混凝土结构,风道大梁柱距主要取决于结构合理性要求和风道风量断面要求,单梁一般采用6.0m~8.0m较经济,双梁一般采用8.0m~14.0m较经济。

2)屋面板主要强调应采用板底平整的预制构件,既方便施工,又避免形成滴水线。

3)双梁锯齿排架中双梁是通过焊接与牛腿柱相连,很难形成刚接属于铰接连接,只有通过天沟板上后浇混凝土层采取有效构造措施保证天沟板与风道双梁形成刚接,才能使双梁和风道板形成的不是机动体系,确保整体稳定。

4)单梁若与牛腿柱焊接很难保证形成梁柱刚性节点,而梁柱整浇在一起整体性较好,符合刚性节点要求。

2 经调研,在山东省纺织设计院也有采用带排气井的装配式门形架承重锯齿形排架结构。由于屋面在跨度方向直接搁置屋面板,没有三角架梁,板底平整防滴水效果较好。

3 该结构形式在山东滨州地区应用较广,在上海和杭州也有采用,其纵向承重体系采用现浇框架结构,整体抗震性能和施工方便均优于三角架承重和门形架承重锯齿形排架结构。

1)该结构跨度一般采用12.0m~18.0m,主要考虑在满足工艺生产并列布置两排特宽幅机器的跨度一般为18.0m,而SP预应力空心板按国家建筑标准设计图集《SP预应力空心板》05SG408中最大跨度为18.0m。

2)采用SP预应力空心板主要考虑除了板底平整美观外,跨度最大可达18.0m,能满足一般工艺布置要求。SP预应力空心板是根据国家建筑标准设计图集《SP预应力空心板》05SG408技术要求,采用美国SPANCRETE公司的生产设备、工艺流程、专利技术和SP商标使用权在我国生产的预应力空心板。

6.2.5 本条条文说明如下:

1 经调研,浙江、江苏一带在印染厂中较多采用带气楼的单层钢筋混凝土斜梁框架结构,实际应用效果较好。

1)根据工艺设备布置要求,一般每跨布置两排设备,至少需要

12.0m 跨度,而布置两排特宽幅设备则需 18.0m,但从结构合理性考虑,跨度超过 18.0m 后,采用普通钢筋混凝土结构梁太高,经济性较差,宜采用预应力屋面梁较经济。

2)屋面梁往上翻的目的是为了保持板底平整,有凝结水时能顺坡流入室内滴水沟内,同时消除梁底形成的滴水线。

2 经调研该结构体系实际使用较少,但江苏一带也有工程实例,而且其对印染工厂也有一定的优越性和适用性。

6.2.6 印染厂的印花、整理、整装车间,生产过程中湿度、雾气均不大,相对比较干燥,实际调研了解到,采用普通排架结构也较普遍,并具有施工方便和造价低等优势,但气楼处仍应采取设置侧窗排气、排气井排气或屋顶风机排气等通风措施。

6.2.7 单层印染厂中的印花、整理、整装车间由于生产过程湿热,气体较少,相对比较干燥,经在江苏、浙江、广东多方调研,用于此类车间的轻钢结构印染车间目前最长的使用近 8 年,腐蚀情况不太严重,使用基本正常,但也发现钢结构厂房存在一些锈蚀情况,因此强调用于此类车间应加强防腐蚀设计。同时应按国家有关规范进行防火设计。本次修订调研发现近几年采用带顶侧窗的单层轻钢排架结构通风采光效果良好,应用也较普遍,较适用于印花、整理、整装车间。

6.3 结 构 布 置

6.3.2 装配式锯齿形排架因屋面采用保温隔热措施,车间内温差变化较小且该结构体系属跨变结构故可以不设伸缩缝。

6.4 设 计 荷 载

6.4.1 设计天沟板、风道底板、轻型房屋屋面时,除考虑均布活载外,还应另外验算在施工、检修时可能出现在最不利位置上,由人和工具自重形成的集中荷载。悬挂荷载应包括工艺、水、暖、电、通风、空调等系统悬挂于结构的管道和设备荷载。

6.4.2 楼面活荷载标准值由工艺提供,或由结构设计人员根据相关专业提供的资料计算确定,印染厂主要生产设备大多是联合机,一般长度较长,局部设备高度较高、重量较大,对安放各部位的荷载不一,在多层厂房设计时要予以充分重视。

6.4.3 操作荷载对板面一般取 $2.0kN/m^2$,当堆料较多时,按实际情况取用,操作荷载在设备所占的楼面面积内不予考虑。

6.5 结 构 计 算

6.5.1 该结构体系属跨变结构,采用手工计算非常繁杂,精度也不高,在目前计算机使用极其普遍的情况下应采用电算。计算简图(图 6.5.1)中 P_1、P_2、P_3、P_4、P_5、P_6 为风道梁传给牛腿的集中力,其中包括风道大梁、天窗架、天沟板及找坡支墩、排气井、风道底板的重量。

1 根据研究试算采用无牛腿等截面假定,能满足工程设计要求。

2 由于纵向一柱距内为减少屋面板跨度有时设置多榀三角架,所以计算简图中三角架刚度均应取风道大梁内诸榀三角架刚度之和计算。

3 由于采用电算,计算简图中尽可能反映了实际受力情况,但对屋面中间跨风荷载考虑大小相同方向相反可互相抵消。

4 该结构体系属装配式结构,中柱配筋一般由施工吊装阶段(吊装跨安装完毕,相邻跨仅安装风道大梁及风道顶板)控制,因此必须进行施工吊装验算。吊装阶段屋面保温隔热及粉刷还均未施工,理应不计入。

6 计算长度系数缺乏新的研究资料,仍沿用原《印染工业企业设计技术规定》FJJ 103 中的参数。

6.5.2 单层钢筋混凝土斜梁框架结构屋面斜梁由于坡度较大,对柱子会产生水平推力,故不能简化成水平梁,电算时梁跨中高点可增设节点处理。

6.6　带排气井的单层锯齿形厂房构造要求

6.6.1、6.6.2　三角架承重锯齿厂房已在全国各地得到广泛应用，从调研结果看，厂房的使用情况良好，保留该结构的构造做法有较强的技术指导作用。风道大梁顶部搁置预制风道顶板，通过预埋钢板与风道大梁互相连接，并在预制风道顶板上设置钢筋混凝土整浇层，是为了保证双梁风道形成整体。

6.7　抗震构造措施

6.7.1　单层锯齿形厂房其结构特性是有跨变的排架结构，牛腿柱的受力具有铰接排架柱的特性，三角架又兼有框架的特性，单层锯齿厂房的高度均不超过 30m，比照现行国家标准《混凝土结构设计规范》GB 50010 中高度小于或等于 30m 的框架结构和铰接排架单层厂房结构在各抗震等级下构造要求是一致的，故提出本条要求。

6.7.3　为确保连接的可靠性对预埋件锚筋提出了要求。

6.7.4　基本沿用原《印染工业企业设计技术规定》FJJ 103 中的经验做法。

6.7.5　综合现行国家标准《混凝土结构设计规范》GB 50010 中框架结构和铰接排架柱的要求提出。

6.7.6　在地震作用下，往往由于荷载、位移、强度的不均衡，而造成结构破坏。从唐山地震的震害中看，山墙承重的单层钢筋混凝土柱厂房有较严重的破坏，故不应采用山墙承重。

6.7.7　采用不等长牛腿是为了避免或减少不平衡垂直荷载引起的柱弯矩。

6.7.8　参照国家建筑标准设计图集《建筑物抗震构造详图》11G329—1(钢筋混凝土柱单层厂房)中有关屋面板与屋面梁的连接构造要求提出本条。

6.7.9　风道大梁在牛腿柱上的支承端必须具有一定的抗拉弯剪

能力,以确保风道大梁与牛腿柱形成刚性节点,保证结构的抗震能力。

6.7.10、6.7.11 为了保证各构件之间连接的强度和延性提出本条。

6.7.12 本条中所述的结构和构件的抗震要求在现行国家标准《建筑抗震设计规范》GB 50011 中已有明确规定,故本规范不再复述。

6.8 地 基 基 础

6.8.2 当地下沟道埋置深度大于建筑基础时,两者之间应保持一定的净距,其值应根据建筑荷载大小和土质情况确定。当两者之间的净距不能满足要求时,应采取合理的施工顺序和可靠的围护措施,也可采用加固原有建筑物地基的方法进行处理。

6.8.3 工艺设备基础应采取合理的形式和有效措施,防止产生过大的相对沉降差以影响生产。

7 给水排水

7.1 一般规定

7.1.1 本条确定了给水排水设计必须遵循的基本原则,强调了水的综合利用、节约用水、保护环境以及满足施工、安装、操作管理、维修检测和安全等要求。

7.2 用水量、水质和水压

7.2.1 本条确定了用水量的标准,印染工艺总用水量由原料品种、染色设备、染色工艺、回用水平、管理水平等诸多因素决定,每个工厂的差异很大,因此主要应由工艺专业经计算确定,同时应符合印染行业准入条件中新建或改扩建印染项目印染加工过程综合能耗及新鲜水取水量标准。小时变化系数与工厂规模直接相关,工厂规模大时小时变化系数可取小值,反之取大值。

印染工厂生活用水主要为冲厕及洗涤,其水量可参考一般工业车间设计,一般车间管理严格,上下班时间比较集中,小时变化系数较大。印染车间工人劳动强度大,如厂内设有淋浴,其用水量较大。参照现行国家标准《建筑给水排水设计规范》GB 50015,生活用水定额可采用40L/人·班,小时变化系数可采用3.0,用水时间则根据生产班制。食堂用水定额可采用15L/人·班,小时变化系数可采用2.0。淋浴用水定额可采用60L/人·班,淋浴延续时间为1h。

自备给水净化站有配药剂、反冲洗等用水时,给水量还应考虑水站自用水量,根据现行国家标准《室外给水设计规范》GB 50013一般采用给水量的5%～10%计算。

印染厂应考虑消防用水量并应进行流量、压力校核。

7.2.2 根据调查的企业一般都采用了多种水源,大部分食堂、宿舍采用水质优良的生活饮用水,因此其水质应符合现行国家标准《生活饮用水卫生标准》GB 5749 有关规定。印染工艺用水、冷却循环水、生活冲洗水、绿化、道路浇洒等大多数工厂采用经自备水厂处理的地表水等,其水质以满足生产工艺要求为准。部分工厂还使用了回用水用于生活杂用(生活冲洗水、绿化、道路浇洒等),水质应满足相关用水要求。印染生产用水水质要求随产品、染色工艺、质量要求、设备情况不同而异,差别很大。对质量要求高时一般采用软化水,质量要求低的化纤布加工有时可用经简单处理的河水,甚至可用经简单处理后回用的废水。

7.2.3 一般印染工厂多数为单层厂房,大多数设备为无压进水,车间进口压力以满足其出流水头,一般大于 0.2MPa 即可,为节约用水、减少管道漏损宜选用较低压力供水。冷却循环水、喷射设备等部分设备压力要求较高。部分设备水压要求较高时为节约能耗、减少阀门漏损尽可能局部加压解决。

7.3 水源与水处理

7.3.1 本条对供水水源的选择做出了规定。现行国家标准《室外给水设计规范》GB 50013 有关于水源选择前必须进行水资源勘察的强制性要求。因为绝大部分地区已不允许印染厂开采地下水,故本次修订删除了对开采地下水的有关规定。

7.3.2 本条对给水处理做出了规定。一般处理工艺与设备符合现行国家标准《室外给水设计规范》GB 50013 的规定,软化除盐处理工艺与设备符合现行国家标准《工业用水软化除盐设计规范》GB/T 50109 的规定。

7.4 给水系统和管道布置

7.4.1 应根据水源情况和用水要求予以划分。

1 利用市政给水的水压直接供水有利于节能并减少二次污

染。现行国家标准《消防给水及消火栓系统技术规范》GB 50974—2014 中第六章对建筑物室外、室内消防的给水形式做了详细规定，其中要求室内消防应采用高压或临时高压消防给水系统，且不应与生产生活给水系统合用。

2 分质、分压供水主要目的是为了节能、节约用水。

3 印染厂冷却水水量大、水质变化小，应当采用循环方式。一些企业将升温后的冷却水用于染缸进水加以重复利用，并可节能。机缸间接冷却水也应循环利用。

7.4.2 本次修订增加对室外管网流量计算的规定，印染厂一般用水点多、水量大、不均系数小，干管宜按最高日最大小时用水量计算，如按秒流量设计管径偏大，造成浪费。

7.4.3 环状布置并用阀门分成可单独检修的独立管段能提高供水的安全性。为满足计量、考核要求各工段或主要用水设备应设置水量计量设施，以节约用水。

各地都在提倡使用新型管材，而且种类繁多。从调查看塑料给水管以其具有防腐能力强、内壁光滑、质量轻、美观、安装方便而得到大量推广。现行国家标准《消防给水及消火栓系统技术规范》GB 50974 规定室外消防管道宜采用球墨铸铁管或钢丝骨架塑料复合管给水管道。车间内采用热浸镀锌钢管的企业也不在少数，而普通焊接钢管如没有可靠的防腐其寿命不长；一些外资企业、先进的企业、加工高档品种的企业则直接采用不锈钢管。

7.4.4 由于一个工厂往往存在自来水、自备水、回用水、冷却水、冷凝水等多种水源，一些企业对水质污染问题往往不重视。因此应符合现行国家标准《建筑给水排水设计规范》GB 50015 和《城镇给水排水技术规范》GB 50788 的有关规定。

7.5 消防给水和灭火设施

7.5.1 现行国家标准《建筑设计防火规范》GB 50016、《消防给水及消火栓系统技术规范》GB 50974、《纺织工业企业设计防火规范》GB 50565已对印染工厂的消防给水及灭火设施设计做了详细规定。

7.5.2 本次修订增加有关仓库设置自动喷水灭火设施的要求。

7.5.3 本条提出了有关灭火器布置的要求。

7.5.4 本条为本次修订增加条文,印染工厂车间内各种推车、铲车运输频繁,很容易将消火栓箱撞破,在设计时应注意尽可能避免设在主要通道上。实际使用中为避免消火栓遭到破坏,多数企业对消火栓采用了钢栏杆保护。

7.6 排水系统和管道布置

7.6.1 生产排水量一般可按生产用水量计算得到,区分生产污水、生产废水及清洁废水、生活污水等,为便于计算污水量、可重复利用排水及考虑废水回用等。据调查印染生产排水,练漂车间的清洁废水占本车间生产排水量的50%~60%;染色车间的清洁废水占本车间生产排水量的20%~25%。

7.6.2 本条对排水系统设计做出了规定。

1 印染生产污水主要有退浆、练漂、染色、碱减量、丝光、印花污水等;生活污水主要接纳车间、厂区生活污水;雨水排水系统,主要接纳屋面雨水和厂区地面雨水;同时还有大量清洁废水,主要包括空调废水、车间冷却废水等清洁废水。

2 染色排水采用清、污分流排放,浓、淡分流排放,有利于选择合理的污水处理工艺及考虑废水回用。

3 本次修订对室外雨水设计确定重现期做了规定。"当地区整体改建时,对于相同的设计重现期,改建后的径流量不得超过原有径流量"为现行国家标准《室外排水设计规范》GB 50014的强制性要求。因此,在设计大型印染厂及印染园区时还应满足地区对雨水流量控制要求。

4 根据现行国家标准《建筑给水排水设计规范》GB 50015的规定,屋面雨水宜采用外排水系统,大型屋面宜按压力流设计,外排水系统在北方寒冷地区则禁用,冰凌高挂易造成人身伤亡事故。建筑屋面雨水排水工程应设置溢流设施。

5 各类废水在排入纳污水体或管网前应经过处理并达到有关标准。根据印染行业准入条件,印染废水应自行处理或接入集中工业废水处理设施,不得接入城镇污水处理系统,确需接入的,须经主管部门许可。

6 本次修订新增条款,考虑到可能存在雨污分流不彻底、跑冒滴漏、染料外泄、地面污染等问题,浙江的多数环保部门要求印染企业雨水集中排放(只设一个雨水排水口,以便于监测及管理),在排入水体或市政雨水管前要求设置废水收集井,用于收集初期雨水及进入雨水系统的渗漏污水并定期泵至调节池,防止超标排放。

7.6.3 据调查绝大多数染色车间内工艺排水采用暗沟排放。为检修方便,排水沟的设备排出口、三叉口及转弯处应设置活动盖板。工艺冷却水一般采用循环或回用,为避免污染宜采用管道排放。埋地排水塑料管因重量轻、内壁光滑、防腐蚀、安装方便,在全国各地已得到广泛运用,但对持续水温度大于 40℃ 的排水则不合适。根据现行国家标准《建筑给水排水设计规范》GB 50015 的规定,室内排水沟与室外排水管道的连接处,应设水封装置。

各地环保部门对印染废水的排放提出了一些特殊要求,在设计中应予满足,如厂区内污水必须压力输送、采取明沟套明管等,防止重力排放渗漏及便于管理部门监管。

7.6.4 现行国家标准《纺织工业企业环境保护设计规范》GB 50425 和《纺织染整工业废水治理工程技术规范》HJ 471 对印染废水如何处理做出了详细规定,处理后的废水应达到现行国家标准《纺织染整工业水污染排放标准》GB 4287 的有关规定。

7.7 水的重复利用及废水回用

7.7.1 为了提倡节水及水回用设置本章节,现行国家标准《建筑中水设计规范》GB 50336 规定缺水城市和缺水地区应当建设废水回用设施。有条件的印染厂,应在总体设计时考虑雨水收集,作为补充水源,印染厂厂房面积大、耗水多,雨水收集利用可作为主要节水措施。生活洗涤排水、空调循环冷却排污水、冷凝水、雨水以及清洁废水由于水中污染浓度不高均可作为回用水水源。处理合格的废水可回用于生产工艺,也可回用于冲洗厕所、地面、汽车、绿化、浇洒道路等。

7.7.2 随着印染行业准入条件的实施,印染行业的提标整治、新排放标准的实施以及水处理技术的发展,全国已有不少企业将染色废水经适当处理后回用于生产工艺,采用超滤、反渗透等深度处理工艺进行回用已经比较普遍,回用比例一般可达 20%～80%。也有企业将高浓染色废水就地储存然后回用于下一次染色,极大地利用了各类资源、减少了污水的排放量及污水浓度,大大节约了用水并减少了污水处理成本,应在工艺允许的情况下大力推广。

某厂为了节约生产用水,降低生产用水量,减少废水排放量,充分利用了生产过程中的废水,进行了如下废水的回用:

(1)所有机台的水洗箱前后相通,水流方向与布的运行方向相反,即出布处进水,进布处排放洗涤污水。

(2)烘筒冷凝水尽可能在本机台回用,染色机、定型机冷凝水集中回收用于化料。

(3)烧毛机、丝光机、溢流机、焙烘冷却辊、定型机冷却辊、预缩机冷却水集中用于丝光机组水洗箱冲淋部分和煮漂机组漂白部分水洗箱、冲淋用水。

(4)漂白、丝光洗涤用水用于退浆、煮练的水箱洗涤或喷淋洗涤。

(5)煮漂洗涤水部分送至锅炉水膜除尘,其余送至污水回收系统。

废水回用流程如图 1 所示:

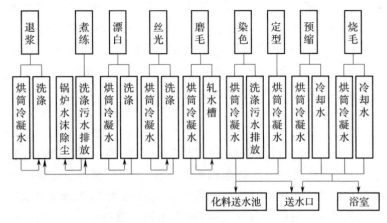

图 1　废水回用流程图

7.7.3 不同水质要求的回用水分别进行处理有利于节约投资。

7.7.4 部分染色废水的排水温度高达 50℃～70℃,有的企业采用就地或集中间接热交换或采用热泵技术进行热能回收,用于预热冷水进水或其他用途,其回收的热量价值很大。本次修订增加利用可再生能源制取热水的规定,各地均有鼓励企业实施太阳能、地热能、空气能热水系统等可再生能源的政策,有的企业印染所需热水采用太阳能进行加热,效果良好。高温太阳能技术在印染行业内的应用也日渐成熟。有的企业污水排水温度过高,不利于后续生化处理,如直接采用冷阳塔进行冷却,不但塔体容易结垢效果不好,还造成能源浪费,因此应当优先采用废水的热量回收来降低排水温度。

7.7.5 本条为强制性条文,主要针对生活饮用水水质安全的重要性提出规定。由于印染工厂废水存在有毒污染的可能危害,一旦废水、回用水进入生活饮用水管道,极有可能会影响与之连接的生活饮用水管道内的水质安全,在设计过程中必须避免产生水质安全问题。

8 供暖通风与空调

8.1 一般规定

8.1.2 印染工厂为高温高湿生产车间,宜有良好的通风设施才能使热湿空气及时排出;而机械通风需耗能,增加企业的生产运行成本,为使企业能节省生产运行成本,在印染工厂设计时,应在建筑结构形式选用上考虑具有良好的自然通风条件。

8.1.3 本条要求印染工厂围护结构应有足够的保温性能。

印染工厂为高温高湿生产车间,当围护结构的保温不好时,冬季易在车间围护结构的内表面结露滴水,影响产品质量和室内劳动环境,故要求其围护结构应有足够的保温性能,其最小热阻应通过计算确定,计算可参见现行国家标准《工业建筑供暖通风与空气调节设计规范》GB 50019 的规定。

8.3 生产车间的供暖通风与空调

8.3.1 本条从节能角度对印染工厂生产车间的通风设计提出设计原则;对原《印染工业企业设计技术规定》FJJ 103—1984 中第7.3.1 条进行修改。

随着印染工艺和技术的发展及印染设备的改进,大部分散湿散热大的工艺设备均为密闭式并带有局部机械排风装置,其对生产车间的环境影响已大为减少,在非寒冷地区,利用车间的建筑结构形式考虑自然通风,基本上可满足印染工厂生产车间的通风要求,在自然通风条件较差的印染车间应采用机械排风。

8.3.2 本条说明印染工厂生产车间采暖通风设计应达到的目的,既要达到现行行业标准《工业企业设计卫生标准》GBZ 1 的要求(劳动保护要求),又要达到防止车间因冷凝结露而滴水对产品质量的影响。

8.3.3 本条说明印染工厂生产车间排风分机台局部排风和车间全面排风两种方式及其具体要求。随着印染设备的发展,许多高温、高湿机台设备在出厂时已经配置了专用箱体及排气风机,如热定型机、热风拉幅机、焙烘机等,设计时只需根据设备提供的排风参数配置排风管道进行集中单独排放。车间全面排风应首先利用车间建筑特点进行自然排风,印染车间一般多为单层厂房,利用其屋面设置避风气楼、拔气井、排气筒等进行自然排风,自然通风是利用空气热压及风压的作用进行,空气自外墙低位进入屋顶排出,在非寒冷地区这种自然排风形式最为常用,也最经济。严寒地区的印染车间、有特殊要求的场合及不具备自然排风条件的印染车间则应设置机械排风系统。对有有害气体散发的区域或工段,应采用机械排风并保持车间负压。

8.3.4 印染车间进风系统首先宜采用自然进风,自然进风采用外墙低脚窗或门窗低位进风;低脚进风窗要求能调节开启,为使冬天能关小进风量或关闭进风窗。当车间自然进风面积小或迎风面为附房时,自然进风就不能满足要求,则应采用机械送风系统。

8.3.5 印染厂送风采用室外新风;冬季可适当利用回风,但回风点必须远离散发有害气体的设备或工段。加热室外新风及适当利用回风提高送风温度,以满足工作点的采暖及车间防凝消雾的要求。

8.3.6 通风应按物料平衡、热平衡和废气排放要求计算确定;本条推荐的是印染工厂生产车间各工段的夏季通风设计换气次数,其数据通过大量印染工厂调研后得出。

8.3.10 本条对严寒地区的供暖要求。严寒地区的值班室及办公室应设置供暖系统,这是劳动保护的要求;车间设置值班供暖是为了设备能顺利开机及保证管道不被冻裂的需要;值班供暖温度与相关规范统一。车间供暖应按工艺要求和现行国家标准《工业建筑供暖通风与空气调节设计规范》GB 50019 的要求设置。

9 电 气

9.1 一 般 规 定

9.1.1 印染工厂电气设计中必须满足生产工艺的要求,在设计方案时,应考虑远近期结合,尽可能给今后发展留有扩建余地。电气设备产品众多,技术发展很快,为保证电气设备安全可靠运行,应选用性能可靠、技术先进、节能环保和便于维护的电气产品,并应关注最新技术发展动态,以杜绝淘汰产品的使用。

9.1.2 太阳能是各种可再生能源中最重要的基本能源。其中太阳能光伏发电是近些年来发展最快,也是最具经济潜力的能源开发领域。但由于目前它的制造成本相对较高,也阻碍了太阳能光伏的发展利用。因此本条规定,在经济技术分析合理时,宜优先利用。风力发电对场地有较高要求,所以其发展受一定的限制。通常印染工厂的单体屋顶面积较大并具有较好的太阳能辐射条件,在利用太阳能方面有很好的先天条件,已有厂家在尝试太阳能应用。此外,当应用太阳能光伏发电系统时,宜采用并网型系统,这样无须装设大量的储能装置,从而可以合理降低投资成本。

9.2 供配电系统

9.2.1 印染工厂的普通用电负荷,根据对供电可靠性的要求及中断供电在对人身安全、经济损失上所造成的影响程度进行分级,属于三级负荷。20 世纪后期,部分企业为了提高印染产品品质,实施了液氨整理工段,液氨整理工艺可以提高纯棉等天然纤维及其混纺产品的穿着服用性能。该工艺过程需要使用到液氨作为介质,由于停电可能导致液氨泄漏产生安全事故,该工段涉及安全生产的安全阀、控制系统等用电设备负荷等级应确定为二级负荷。

9.2.2 供电电压等级及供电回路数,应根据印染工厂规模及当地电网条件,经过经济技术比较后确定。根据目前全国各地印染工厂电源现状,以 6kV～20kV 供电居多。三级负荷供电的工程可采用 6kV～20kV 单回路供电。在需要二级负荷供电的工程中,宜采用 6kV～20kV 双回路或单路 6kV～20kV 架空专线供电方案。但在 6kV～20kV 电源难于取得或单路 20kV 容量大于 6000kV·A 时,可选择采用 35kV 供电。对于 6kV～20kV 电源难以取得的地区项目,当变压器总容量小于 4000kV·A 宜采用 35kV 直变 0.4kV 的供电方案。

9.2.3 本条对低压配电系统做出了规定:

1 为提高供电可靠性,减少电气故障造成的经济损失,以及根据负荷情况,有 2 条生产流水线时,车间变电所宜安装 2 台变压器,单母线分段运行,两段低压母线间设置母联开关。当只有 1 条生产流水线,且负荷不大时,可设 1 台变压器。此时作为应急备用宜与就近的车间配电变电所设低压联络线。

2 平行的生产流水线和互为备用的生产机组若由同一回路配电,则当此回路停止供电时,将使各条流水线都停止生产或备用机组起不到备用作用。

同一生产流水线的备用用电设备如由不同的低压母线配电,则当任一母线或线路检修时,都将影响此流水线的生产。故规定同一生产流水线的备用用电设备,宜由同一低压母线配电。

3 印染工厂一般采用 TN 系统的接地形式,在低压电网中,车间的单相负荷,应均匀地分配在三相线路中,应选用 D,yn11 结线组别的变压器。以 D,yn11 接线与 Y,yn0 接线的同容量的变压器相比较,前者空载损耗与负载损耗虽略大于后者,但三次及其整数倍以上的高次谐波激磁电流在原边接成三角形条件下,可在原边环流,与原边接成 Y 形条件下相比较,有利于抑制高次谐波电流,在当前电网中接用电力电子元件日益广泛的情况下,采用三角形接线是有利的。另外,D,yn11 接线比 Y,yn0 接线的零序阻抗要小得多,有利于单相接地短路故障的切除。还有,当接用单相不平衡负荷时,Y,yn0 接线变压器要求中性线电流不超过低压绕组额定电流的 25%,严重地限制了接用单相负荷的容量,影响了变压器设备能力的充分利用。因而,在低压电网中,推荐采用 D,yn11 接线组别的配电变压器。

4 近年来,印染工厂由于大量使用非线性负载,如变频器、节能灯、UPS 装置等,使供配电系统中存在大量的谐波,因此对供电系统进行谐波监测是很有必要的,它可以为谐波抑制提供大量的基础数据。

当系统谐波或设备谐波超出谐波限值规定时,应对谐波源的性质、谐波参数等进行分析,有针对性地采取谐波抑制及谐波治理措施。供配电系统中,具有较大谐波干扰的地点应设置滤波装置。采用高次谐波抑制和治理的措施可以减少电源污染和电力系统的无功损耗,并可提高电能使用效率和保护部分设备运行安全。

5 印染设备的功率因数较低,在采用电力电容器作无功补偿装置时,容量较大、负荷平稳且经常使用的用电设备的无功负荷宜采用就地补偿;补偿基本无功负荷的电力电容器组,宜在配电变电所内集中补偿。

9.2.5 负荷计算方式及需要系数的选取。印染工厂负荷计算一般采用需要系数法。本规范中需要系数在参照原《印染工业企业设计技术规定》FJJ 103—1984(下述简称《原规定》)基础上做了修订。

需要系数一般为实测所得,目前我国印染工业企业尚无可推荐使用的需要系数。在已投产的印染厂企业普遍反映,采用原规定中需要系数偏大,在实际运行中变压器负荷率偏低。同时,了解了有关设备制造厂设备配置情况,一般产品铭牌上所标定的额定功率比实际所需的功率要大,安全系数较高。为此本规范对主要的工艺设备需要系数作了新的修订,并列于表 9.2.5 中,设计人员应根据工程实际酌定。

在本次规范修订的调研过程中,通过多个实际运行项目的运行数据分析和工厂实测数据的提供,对烧毛设备和定型设备需要系数做了适当的调整,需设计人员在施工图设计阶段与工艺设备制造商充分沟通,拿到设备制造商设备的长期工作额定电流数据,合理选择需要系数。

9.2.6 印染工厂的室内配电干线宜采用电缆桥架明敷设,不宜采用电缆沟配线。因为当前产品市场变化大,工艺设备选型和产品均容易变更,采用电缆桥架明敷设较易适应各种产品、设备选型变更带来的配电线路的变更。另外,电缆沟中易积水也不利于清洁。同时,在有腐蚀和特别潮湿场所,宜采用各种类型的防腐蚀型电缆桥架,如采用热镀锌、外表面涂防腐层及采用玻璃钢材料等。室外可采用电缆沟或直接埋地敷设。

有关配电线路的敷设方式与要求,应按现行国家标准《低压配电设计规范》GB 50054 和《电力工程电缆设计规范》GB 50217 的有关规定执行。

9.3 照 明

9.3.1 在实地调研中,发现印染工厂车间通常采用混合照明,非工艺设备工作区域照度要求普遍不高主要是材料运输通道,并应采用机台上的局部照明。尤其在练漂及染色的进、出口布面处,印花机机头处,印花机、修布车间及整装车间,照度要求很高,为了使照明设计合理节能,故应采用机台上的局部照明,这样可以降低普通场所的一般照明照度要求。

9.3.2 印染工厂的印染车间,尤其在印花车间,识别颜色要求高,故应选用显色指数高的光源,如采用 Ra 大于 80 的三基色稀土荧光灯、金属卤化物灯、高压氙灯与节能灯等。一般场所宜选用光效高、寿命长的光源,在满足工艺生产要求的前提下,应优先采用节能型灯具。在节能型灯具选型时,要求灯具的效率必须满足现行国家标准《建筑照明设计标准》GB 50034 的有关灯具效率的规定。

在光源选择方面,发光二极管(LED 灯)是极具潜力的光源,它具有寿命长、发光效率高的特点,近年来随着发光二极管(LED 灯)的技术逐渐成熟和成本的降低,建议在部分人员不长时间停留的场所可以合理选择发光二极管(LED 灯)作为光源。

9.3.3 车间作业面应尽可能地均匀照亮,本规范参照《原规定》、国家标准和 CIE 标准规定,照度均匀度不应小于 0.7,同时增加了作业面邻近周围的照度均匀度不应小于 0.5 的规定。本条文征求了有关印染工厂的意见能满足生产要求。

9.3.4 近 20 多年,我国国民经济持续发展,新光源和新灯具广泛应用。当前有需要也有条件适当提高照度水平和照明质量。

混合照明中的一般照明,其照度值应按等级混合照明照度的 10%～15% 选取,且不宜低于 75lx。其原因是近年来高强度气体放电灯广泛采用,这样既能改善在低照度下的视觉环境,又不需增加耗电量。现场调查结果,采用新光源和新灯具后车间照度较易达到 75lx。

9.3.5 印染工厂生产车间的照度一般采用点光源或线光源的点照度计算法和利用系数法。单位指标法只在进行方案或初步设计时,近似计算起着一定作用。单位指标法,又分为单位电耗法和单位面积功率法(也称负荷密度法)。

9.3.6 本规范印染工厂的生产车间和辅助生产车间的照度标准是参照了《原规定》、现行国家标准《建筑照明设计标准》GB 50034 的规定以及实地调研印染工厂目前的照度实况,经综合分析后确定的。本规范表 9.3.6 中还规定了显色指数的要求,以确保照明设计的照明质量。印花工段现有的工艺设备一般均采用设置机上局部照明,故将原有印花车间一般照明照度降低为 150lx,新增混合照明的照度为 300lx。

9.3.7 本条文主要从车间照明节能控制角度,提出车间照明控制要求和配电箱布置原则。

9.3.8 印染工厂各车间应根据照明场所的环境条件和使用特点,

合理选用灯具。如在练漂、染色车间属高温、潮湿有腐蚀性气体场所，应采用相应防护等级的防腐、防水灯具。在烧毛车间，使用可燃气体，是火灾危险场所，应采用相应防护等级的防水防尘灯具。在涂层车间、液氨整理车间等散发爆炸性气体场所，应采用相应防护等级的防爆型灯具。在拉毛、磨毛及剪毛等车间、有绒尘场所，应采用相应防护等级的防尘灯具。丙类仓库应采用阻燃型灯具。

印染工厂的生产车间，厂房高度很高时，灯具布置与安装，应考虑安全及维护方便。

9.3.9 印染工厂的照明设计，本规范中未及场所，应按现行国家标准《建筑照明设计标准》GB 50034 的规定执行。

9.4 防雷和接地

9.4.1 印染工厂内建筑物和构筑物的防雷与接地设计，本规范中未及事项，应按现行国家标准《建筑防雷设计规范》GB 50057 和《建筑物电子信息系统防雷技术规范》GB 50343 的规定执行。

9.4.2 印染工厂的低压配电系统的接地形式应采用 TN 系统，这是根据多年来各印染厂家实际运行经验做出的规定。

(1)TN－C－S 系统，系统中有一部分 N 线与 PE 是合一的。

(2)TN－S 系统，整个系统的 N 线和 PE 线是分开的。

根据两种接地系统适用场合，结合工程具体情况，做综合的技术、经济比较后，确定其中一种形式。

9.4.3 接地系统接地电阻选择应符合现行国家有关规程和规范的要求。当采用单独接地体时，低压系统中性点接地电阻应不大于 4Ω，重复接地电阻不宜大于 10Ω，防静电接地电阻不应大于 100Ω，在易燃易爆区不宜大于 30Ω。采用共用接地装置时，接地电阻应符合其中最小值的要求。若与防雷接地系统共用接地时，接地电阻不应大于 1Ω。电子设备接地，当采用共用接地系统时，接地电阻不应大于 1Ω；当采用单独接地体时，接地电阻不应大于 4Ω。

9.4.4 印染工厂在生产过程中,经常需要使用并输送易燃易爆物料,由于工艺、装置或人员的因素都会产生静电,如果静电得不到有效的控制就有可能酿成重大事故。

静电的危害有三种:一是可能引起爆炸和火灾。静电的能量虽然不大,但因其电压很高且易放电,出现静电火花;二是可能产生电击。静电产生的电击虽然不会致人死亡,但是往往会导致二次事故,因此也要以防范;三是可能影响生产。

9.5 电气消防和报警

9.5.1 根据印染工厂的工艺要求,坯布的储存周期为 9d～12d,成品的贮存周期宜为 10d～15d。每座占地面积超过 1000m² 坯布、成品仓库属于火灾危险性较大的场所,且以上场所均为适用现行国家标准《建筑设计防火规范》GB 50016—2014 中第 8.4.1 条第 2 款和《纺织工程设计防火规范》GB 50565—2010 第 10.2.1 条第 1 款规定的场所。现行国家标准《建筑设计防火规范》GB 50016—2014 中第 8.4.1 条第 2 款和《纺织工程设计防火规范》GB 50565—2010 第 10.2.1 条第 1 款均为强制性条款,故本条也为强制性条文。

9.5.3 本条为强制性条文。印染工厂使用煤气、天然气或其他可燃气体的烧毛车间和定型机车间,属于可能散发可燃气体场所。涂层工段和调配间为使用甲苯、二甲基甲酰胺等散发可燃蒸气的场所。部分印染工厂设有液氨整理工段,该工段以液氨为工艺过程主要使用介质,液氨泄漏后与空气混合形成爆炸性混合物同时又会产生有毒气体,当氨进入人体后会阻碍三羧酸循环,降低细胞色素氧化酶的作用。致使脑氨增加,可产生神经毒作用。高浓度氨可引起组织溶解坏死作用。液氨在工业上应用广泛,具有腐蚀性且容易挥发,所以其化学事故发生率很高。根据近十年的液氨事故公开报道,因液氨泄漏事故死伤总人数已超过百人,如 2013年 8 月的上海市翁牌冷藏实业有限公司的泄漏事故,造成 15 死

25 伤。

9.5.6 印染工厂各车间内,通常工作人员不多,但工艺设备和半成品坯布堆放较多,室内人员流动线路复杂,为便于事故情况下人员的疏散及火灾时扑救。车间内应设供人员疏散用应急照明。在安全出口、疏散通道与转角处应设置标志灯,以便疏散人员辨认通行方向,迅速撤离事故现场。

考虑到多数印染车间均为三级负荷供电,为保证应急照明电源可靠性,宜用集中蓄电池作为备用电源或灯具自带蓄电池。

因印染设备尺寸较大,不少设备高度超过 2m 且疏散通道较长,宜在车间疏散标志灯靠柱侧按规范间距要求和柱跨度柱上 1.0m 以下安装,车间中部通常为高空间和大空间宜采用地面安装疏散标志灯或待工艺设备安装后沿机器旁边独立设置支撑件距地 1.0m 以下安装。

10 动　　力

10.1 一　般　规　定

10.1.1 印染工厂是用热大户,用热范围包括生产工艺、空调、供暖和生活用热。应结合企业的财力、物力等统一进行考虑,制订供热方案。

10.1.2 本条是对供热热源的规定。

印染工厂供热热源,应根据所在地区的供热规划进行考虑,能否由热电厂、区域锅炉房供热。

对于热负荷稳定的大型印染工厂,单台锅炉蒸发量在 20t/h 及以上,热负荷年利用大于 4000h 及以上。按照国家能源政策,经过综合分析比较,可采用热电联产方式。但由于资金、场地或燃料供应等不落实,也不宜进行热电联产时,才设置锅炉房。

10.1.3 本条是从用能的量化管理和节能工作需要做出的规定。

能量计量应包括燃料的消耗量、耗电量、供热系统的供热量和补水量等内容。

10.1.4 现行国家标准《锅炉房设计规范》GB 50041 有强制性条文严禁热力管道与输送易挥发、易爆、有害、有腐蚀性介质的管道和输送易燃液体、可燃气体、惰性气体的管道敷设在同一地沟内。

10.1.5 对属于"压力管道"范围的压缩空气、蒸汽管道和导热油管道设计(计算、焊接和试压等)应符合国家有关"压力管道"的设计规范、规定和安全技术监察规程。

10.2 蒸汽供热系统

10.2.1 本款规定了印染厂热负荷计算原则。

10.2.2 本款规定了供热热源选择的原则。

10.2.3 本条是使用区域热电厂集中供热时的规定。

(1)热电厂热网供热参数一般为 1MPa、280℃～290℃，需减压减温至 0.6MPa，170℃～180℃才能符合印染工厂生产、生活用汽要求。

(2)为确保印染工厂供热安全，在工艺要求不能间断时应有一套备用。

10.2.5 本条规定印染工厂投资热电联产必须进行可行性研究，并做全面技术论证，经相关部门批准后，才能进行。

10.2.6 本条规定印染工厂热电站，必须坚持"以热定电"原则。

10.2.7 本条是对室内外蒸汽供热管道的规定。

  1 为便于车间、机台考核与控制，而采取这种布置方式。

  2 本款规定在蒸汽管径计算时，应考虑近期发展因素。

  3 本款为管道布置和敷设应遵循的原则。

10.3 蒸汽凝结水回收和利用

10.3.1 本条是对蒸汽凝结水回收的具体规定。

(1)用蒸汽间接加热而产生的凝结水，除被加热介质有毒（如氧化物液体等）或有强腐蚀性的溶液外，应加以回收。

(2)凝结水回用到工艺热水时应满足工艺对水质的要求；特别是凝结水回用到锅炉房时必须满足现行国家标准《锅炉房设计规范》GB 50041 的有关规定。该规范对蒸汽凝结水回收利用有强制性条文要求。对于有可能被污染的凝结水，应设置水质监督测量装置，经处理达标后排放。

10.3.2 采暖通风和生产用蒸汽凝结水，压差小于 0.3MPa 可以合管输送，如压差大于 0.3MPa 应采取措施后，才能合管输送。

10.3.4 由于回水管道内为汽水混合两相流动，所以管径较大，投资高。对于采用余压回水系统时，宜在凝结水管道中增设换热装置，以回收热量，降低水温，缩小管径，节省投资。

10.4 导热油供热系统

10.4.1 本条是对印染设备需使用高温热源时的选用规定。印染生产在热定型、焙烘等工序要使用 280℃ 以上高温热源,在调查中部分厂采用以导热油为载热体的机械加热炉,出油温 280℃,回油温 260℃,也有部分厂利用城市煤气、液化石油气、汽油、电能产生高温热源满足生产工艺高温热源要求。目前,在实际生产中有其他不同的加热方式。

10.4.2 本条是对燃料和有机热载体锅炉台数选用的要求。当采用有机热载体锅炉时,烟气排放温度较高,其余热应加以利用。烟气排放温度还应满足现行行业标准《锅炉节能技术监督管理规程》TSG G0002 中烟气排放温度的有关规定。

10.4.3 本条是有机热载体锅炉房布置要求。在设置有机热载体锅炉房布置调研中,对自建锅炉房的企业一般与蒸汽锅炉共建锅炉房,也有在印染车间附房内设置有机热载体锅炉燃用柴油或天然气。但总的布置要求,应力求靠近热负荷中心,布置上必须符合国家卫生标准、防火规定及安全规程中的有关规定。

10.4.4 本条是导热油供热系统的设计要求。多年来运行实践,导热油在高温状态下长期使用,由于热裂解及氧化等原因,如设计和使用不当,其物化性能及技术指标必然迅速发生变化,当导热油下列四项指标达到一定数值时,应予报废。

(1)酸值达到 0.5(mg KOH/g)时(按现行国家标准《石油产品酸值测定法》GB 264 方法测定)。

(2)黏度变化达 15％时(按现行国家标准《石油产品运动粘度测定法和动力粘度计算法》GB 265 方法测定)。

(3)闪点变化达 20％以上时(按现行国家标准《石油产品闪点与燃点测定法(开口杯法)》GB 267 方法测定)。

(4)残碳达到 1.5 时(按现行国家标准《石油产品残碳测定法(康氏法)》GB 268 方法测定)。

因此,在设计中合理选用导热油,设计合理的导热油供热系统,防止导热油超温运行及氧化,对延长导热油使用寿命,保障安全生产,节省费用均有积极意义。

10.5 燃 气

10.5.1 本条是印染厂使用燃气应遵循的规定。印染厂烧毛等工序需使用煤气、天然气时,在管道设计和这些使用场所的通风(防爆要求、事故通风等)、排烟、安全等设计时均必须按现行国家标准《城镇燃气设计规范》GB 50028、《工业企业煤气安全规程》GB 6222 和《建筑设计防火规范》GB 50016 的有关规定执行。

10.6 压 缩 空 气

10.6.1 本条为压缩空气站容量确定的规定。印染工艺许多设备及仪表需用压缩空气,有关专业应提供用气量、用气压及气质要求,经下列公式计算后确定压缩空气站容量。

$$Q = \sum Q_{max} K(1 + \phi) \tag{1}$$

式中:Q_{max}——各设备压缩空气最大消耗量(m^3/min);

K——为同时使用系数,K 按 $0.7 \sim 1.0$ 选用;

ϕ——为管道系统漏损系数,取 $\phi = 0.15$。

11 仓　储

11.1　一　般　规　定

11.1.3 尽可能设计货架式仓库,提高土地利用率。

11.2　坯布库、成品库

11.2.1 坯布库、成品库的建筑面积可按下列公式计算:

$$S = Q \times T/F \tag{2}$$

式中:S——仓库建筑面积(m^2);

Q——坯布日需量或成品日产量(t/d);

T——贮存周期(d);

F——布包堆放密度(t/m^2)。

布包堆放密度一般如下:

(1)使用单梁悬挂式中车作运输工具时:

坯布库为 $0.75t/m^2$;

成品库为 $0.80t/m^2$(布包),$0.40t/m^2 \sim 0.45t/m^2$(纸箱或木箱)。

(2)其他情况时(人工堆垛):

坯布库为 $0.55t/m^2$;

成品库为 $0.60t/m^2$(布包),$0.35t/m^2 \sim 0.40t/m^2$(纸箱或木箱)。